Collection **COLLÈGE** dirigée par
Cécile de Cazanove
Agrégée de Lettres modernes

MW00437959

Stefan Zweig

Le Joueur d'échecs

1943

Édition présentée par
Monique Busdongo
Agrégée de Lettres modernes

CARRÉS
CLASSIQUES
Nathan

sommaire

ISBN 978-2-09-187512-5
© Nathan 2008.

Dossier central images en couleur

avant la lecture

Qui êtes-vous, Stefan Zweig ?

L'Autriche au temps de Zweig

Qui sont les personnages ?

Qui êtes-vous, Stefan Zweig ?

J'étudie et je voyage (1881-1914)

Je suis né à Vienne en 1881, dans une famille cultivée de la grande bourgeoisie juive qui encourage mon goût pour la littérature. Vienne est alors une brillante capitale dont la vie culturelle est en pleine effervescence. À dix-neuf ans, j'entame des études de philosophie et je commence à écrire : je compose des poèmes, j'étudie et traduis notamment Baudelaire, Verlaine, Rimbaud, Verhaeren... Je publie des pièces de théâtre et des nouvelles dès 1904. Je voyage aussi en Europe, en Inde, en Amérique : les échanges intellectuels me passionnent. En 1911, je rencontre l'écrivain français Romain Rolland. Son pacifisme et son humanisme me séduisent ; l'homme devient un ami fidèle, particulièrement précieux aux heures noires qui s'annoncent...

« Je me sens citoyen du monde. »

Je deviens un écrivain reconnu (1914-1930)

En 1914, en effet, la déclaration de guerre m'affecte profondément ; à la fois patriote et pacifiste, je traverse une grave crise morale.

Je me sens citoyen du monde et décide de favoriser par mes écrits l'émergence d'une conscience européenne ; désormais, je travaillerai sans relâche en faveur de la paix. En 1920, j'épouse Friderike. Je travaille à un grand projet, *Les Bâtisseurs du monde*, qui réunit les portraits d'illustres artistes parmi lesquels Balzac, Dostoïevski ou Stendhal. Je construis ainsi une œuvre importante de biographe et d'essayiste, sans renoncer à la fiction : mes nouvelles prolongent ma réflexion en explorant les secrets de l'âme et le mécanisme des passions. Entre 1922 et 1927, *Amok*, *La Confusion des sentiments* et *Vingt-quatre heures de la vie d'une femme* me valent une renommée mondiale.

Je dois quitter mon pays (1930-1942)

Cependant l'évolution de l'Europe me désespère. J'assiste à la montée du nazisme et de l'antisémitisme. Quand Hitler conquiert le pouvoir en Allemagne, je sombre dans la dépression. Je refuse tout engagement politique ; je préfère combattre le nazisme à travers mes livres, où s'exprime la nostalgie d'une Europe engloutie, l'Europe des grands humanistes comme Érasme ou Montaigne, dont j'écris les biographies.

Dès 1934, vivre en Autriche me devient impossible : je suis juif, mes livres sont brûlés, ma maison perquisitionnée... Je me sépare de Friderike et m'exile en Angleterre avec ma secrétaire, Lotte Altmann, que j'épouserai bientôt. Après l'annexion de l'Autriche par l'Allemagne nazie en 1938, j'adopte la nationalité britannique. La guerre qui éclate en 1939 et l'avancée rapide des troupes hitlériennes me chassent d'Europe. Nous partons au cours de l'été 1940 et, en août 1941, ma nouvelle épouse et moi nous nous installons définitivement au Brésil. C'est là que je rédige ma dernière nouvelle, *Le Joueur d'échecs*. Mais la guerre devient mondiale, je comprends alors qu'il n'existe plus de lieu où vivre. Je décide, librement, de disparaître et prépare mon départ. Auparavant, j'ai pris soin d'envoyer le manuscrit du *Joueur d'échecs* à trois éditeurs. Peut-être l'un d'eux jugera-t-il utile de le publier : j'y tiens, cette nouvelle est un peu mon testament... ∎

« Cette nouvelle est un peu mon testament. »

Le 22 février 1942, Stefan Zweig et son épouse se suicident dans leur villa, au Brésil. La nouvelle est publiée à titre posthume en 1943.

L'Autriche au temps de Zweig

L'effondrement de l'Autriche-Hongrie

À la fin du XIXe siècle, Vienne connaît un essor culturel sans précédent. Des artistes prestigieux comme le peintre Klimt (1862-1918) et le musicien Schönberg (1874-1951) créent une nouvelle esthétique. Freud (1856-1939), l'inventeur de la psychanalyse, révolutionne la connaissance de l'homme.

Un Empire menacé.

Cependant, la cohésion de l'Empire austro-hongrois est fragile : François-Joseph de Habsbourg règne sur une mosaïque de peuples : Autrichiens, Hongrois, Italiens, Polonais, Roumains, Serbo-Croates, Slovaques, Slovènes, Tchèques, Ukrainiens, Ruthènes... Les revendications nationalistes s'exacerbent.

L'assassinat de l'archiduc François-Ferdinand par un nationaliste serbe en juin 1914, à Sarajevo, met le feu aux poudres : l'Autriche déclare la guerre à la Serbie et à la Russie ; le premier conflit mondial vient d'éclater.

À la fin de la guerre, les traités de paix font éclater l'Empire en États nationaux indépendants. La République autrichienne est proclamée. Jusqu'en

Naissance de Zweig	Premier recueil de nouvelles	Rencontre avec Romain Rolland			Vingt-quatre heures de la vie d'une femme		Départ pour l'Angleterre
1881	1904	1911	1914-1918	1918	1927	1933	1934
			Première Guerre mondiale	Dislocation de l'Autriche-Hongrie		Hitler chancelier d'Allemagne	Première tentative d'annexion de l'Autriche par l'Allemagne

1938, les chanceliers successifs vont instaurer un État conservateur, autoritaire et nationaliste.

Les années 1930 et la montée du nazisme

La crise économique et financière qui frappe les États-Unis en 1929 gagne l'Europe. Elle aiguise les difficultés sociales et favorise l'essor de partis fascistes ou pro-nazis. En 1933, Hitler accède au pouvoir et met en œuvre son programme : réarmer son pays, réunir toutes les populations d'origine germanique... Ces intentions menacent l'indépendance de l'Autriche.

Un premier coup de force nazi échoue en juillet 1934 ; le chancelier Dollfuss y perd la vie. Schuschnigg lui succède. Sous la pression de Hitler, il est contraint à la démission le 11 mars 1938 ; le lendemain, l'Autriche est occupée et l'*Anschluss* (l'« annexion ») est ratifié. L'Autriche devient l'Ostmark, une province du IIIe Reich. Les démocraties se contentent de protester. En septembre 1939, la Seconde Guerre mondiale éclate. L'Allemagne et ses alliés (Italie, Japon) dominent le conflit jusqu'en 1942, avant de capituler en 1945.

Une province du IIIe Reich.

Les troupes soviétiques libèrent une partie de l'Autriche dont Vienne (sa capitale). Un gouvernement provisoire est installé en octobre 1945. ■

1938	1939-1945	1941		1942	1943	1945
Annexion de l'Autriche par l'Allemagne	Seconde Guerre mondiale	Départ pour le Brésil. Écriture du *Joueur d'échecs*		Mort de Stefan Zweig	Publication posthume du *Joueur d'échecs*	Capitulation allemande

Qui sont les personnages ?

Le narrateur

Cet homme cultivé se passionne pour la psychologie. Le paquebot sur lequel il embarque se révèle un terrain idéal d'investigations et de découvertes.

Percera-t-il le mystère de ses compagnons de voyage ?

Mirko Czentovic

Ce jeune homme d'origine slave est grossier, inculte, uniquement intéressé par l'argent. Pourtant, il est le nouveau champion du monde d'échecs.

Comment a-t-il pu réussir ?

MacConnor

Cet ingénieur écossais a fait fortune en Californie. Il est impulsif, vaniteux, prêt à tout pour faire plier Czentovic, dont le mépris l'a vexé.

Pourra-t-il tenir tête au champion du monde ?

M. B.

Cet avocat autrichien défendait les intérêts du clergé et de l'ancienne aristocratie, hostiles au parti nazi, avant d'être arrêté par la Gestapo. Libéré, il ne doit plus approcher d'un échiquier.

Quel danger le menace ?

lire

Stefan Zweig

Le Joueur d'échecs

Écrit en 1941
(Publié à titre posthume en 1943)

texte intégral

Traduction anonyme, © Delachaux et Niestlé, 1944.

Max Oppenheimer, *Le Joueur d'échecs*, huile sur toile (60 cm × 70,5 cm), 1916.

SUR LE GRAND PAQUEBOT QUI À MINUIT devait quitter New York à destination de Buenos Aires, régnait le va-et-vient habituel du dernier moment. Les passagers embarquaient, escortés d'une foule d'amis ; des porteurs de télégrammes, la casquette sur l'oreille, jetaient des noms à travers les salons ; on amenait des malles et des fleurs, des enfants curieux couraient du haut en bas du navire, pendant que l'orchestre accompagnait imperturbablement ce grand spectacle, sur le pont. Un peu à l'écart du mouvement, je m'entretenais avec un ami, sur le pont-promenade, lorsque deux ou trois éclairs jaillirent tout près de nous – apparemment, un personnage de marque[1] que les reporters interviewaient et photographiaient encore, juste avant le départ. Mon compagnon regarda dans cette direction et sourit : « Vous avez à bord un oiseau rare : Czentovic. » Et, comme je n'avais pas vraiment l'air de comprendre ce qu'il voulait dire, il ajouta en guise d'explication : « Mirko Czentovic, le champion mondial des échecs. Il a traversé les États-Unis d'est en ouest, sortant vainqueur de tous les tournois, et maintenant il s'en va cueillir de nouveaux lauriers[2] en Argentine. »

Je me souvins alors de ce jeune champion et de quelques particularités de sa fulgurante carrière. Mon ami, qui lisait les journaux mieux que moi, compléta mes souvenirs d'une quantité d'anecdotes.

Il y avait environ un an, Czentovic était devenu tout d'un coup l'égal des maîtres les plus célèbres de l'échiquier, comme Aljechin, Capablanca, Tartakower, Lasker ou Bogoljubow. Depuis qu'en 1922, Rzecewski[3], le jeune prodige de sept ans, s'était distingué au tournoi de

10

20

30

 À votre Avis

Où le début de l'histoire se déroule-t-il ?

☐ À Buenos Aires.
☐ À New York.
☐ En Autriche.

1. Important.
2. Succès.
3. Les joueurs cités furent tous de grands champions entre 1920 et 1935.

New York, on n'avait vu personne d'aussi obscur[1] attirer avec autant d'éclat l'attention du monde sur l'illustre confrérie[2] des joueurs d'échecs. Car les facultés intellectuelles de Czentovic n'eussent permis en aucune façon de lui prédire un brillant avenir. D'abord tenu secret, le bruit courut bientôt que ce champion était incapable en privé d'écrire une phrase, même dans sa propre langue, sans faire des fautes d'orthographe, et que, selon la raillerie[3] d'un partenaire rageur, « son inculture dans tous les domaines était universelle ». Czentovic était le fils d'un misérable batelier[4] slave du Danube[5], dont la toute petite embarcation fut coulée une nuit par un vapeur[6] chargé de blé. Son père mourut ; l'enfant, qui avait alors douze ans, fut recueilli par le charitable curé de son village et l'excellent prêtre s'efforça honnêtement de faire répéter à ce garçon au large front, apathique[7] et taciturne[8], les leçons qu'il n'arrivait pas à retenir à l'école. Mais ses tentatives demeurèrent vaines. Mirko fixait d'un œil vide les caractères d'écriture qu'on lui avait déjà expliqués cent fois ; son cerveau fonctionnant avec effort était impuissant à assimiler aucune des notions les plus élémentaires. À quatorze ans, il s'aidait encore de ses doigts pour compter et quelques années après, il ne lisait encore un livre ou un journal qu'au prix des plus grands efforts. On n'eût pu dire cependant qu'il y mettait de la mauvaise volonté ou de l'entêtement. Il faisait avec docilité[9] ce qu'on lui ordonnait, portait l'eau, fendait le bois, travaillait aux champs, nettoyait la cuisine ; bref, il rendait consciencieusement, bien qu'avec une lenteur exaspérante, tous les services qu'on lui demandait. Mais ce qui

? A votre Avis

La biographie de Czentovic est faite par :

☐ le narrateur ?
☐ un journaliste ?
☐ l'ami du narrateur ?

40

50

60

1. Limité.
2. Communauté.
3. Moquerie.
4. Marinier, conducteur de bateau.
5. Fleuve qui traverse l'Europe centrale.
6. Bateau à vapeur.
7. Mou.
8. Renfermé.
9. Obéissance.

chagrinait surtout le bon curé, c'était l'indifférence totale de son bizarre protégé. Il n'entreprenait rien de son propre chef[10], ne posait jamais une question, ne jouait pas avec les garçons de son âge et ne s'occupait jamais spontanément, si on ne lui demandait rien ; sitôt sa besogne finie, on voyait Mirko s'asseoir quelque part dans la chambre, avec cet air absent et vague des moutons au pâturage, sans prendre le moindre intérêt à ce qui se passait autour de lui. Le soir, le curé allumant sa longue pipe rustique[11], faisait avec le maréchal des logis[12] ses trois parties d'échecs quotidiennes. L'adolescent approchait alors de la table sa tignasse blonde et fixait en silence l'échiquier, avec des yeux qu'on croyait endormis et indifférents sous leurs lourdes paupières.

Un soir d'hiver, tandis que les deux partenaires étaient plongés dans leur jeu, on entendit tinter de plus en plus près les clochettes d'un traîneau qui glissait à fond de train[13] dans la rue. Un paysan, la casquette blanche de neige, entra précipitamment, demandant au prêtre s'il pouvait venir sur-le-champ administrer l'extrême-onction[14] à sa vieille mère qui se mourait. Le curé le suivit sans tarder. Le maréchal des logis, qui n'avait pas encore vidé son verre de bière, ralluma encore une dernière pipe et se mit en devoir de renfiler ses lourdes bottes pour s'en aller, lorsqu'il s'aperçut tout à coup que le regard de Mirko restait obstinément fixé sur l'échiquier et la partie commencée.

« Eh bien ! veux-tu la finir ? » dit-il en plaisantant, car il était persuadé que le jeune endormi ne saurait pas déplacer un seul pion correctement sur l'échiquier. Le

70

80

90

10. De lui-même.
11. En bois brut.
12. Grade militaire : sous-officier de cavalerie.
13. À toute vitesse.
14. Sacrement de l'Église destiné aux mourants.

L'âne de Balaam

Dans l'Ancien Testament, l'ânesse du devin Balaam aperçoit avant son maître l'ange que Dieu a mis sur leur chemin. Alors que Balaam la punit de s'être écartée de la route, Dieu lui donne la faculté de parler. L'enveloppe la plus grossière peut donc cacher une intelligence supérieure. ■

garçon leva timidement la tête, fit signe que oui, et s'assit à la place du curé. En quatorze coups, voilà le maréchal des logis battu et en plus, obligé de reconnaître qu'il ne devait pas sa défaite à une négligence de sa part. La seconde partie tourna de même.

« Mais c'est l'âne de Balaam ! » s'écria l'ecclésiastique[1] stupéfait, lorsqu'il rentra. Et il expliqua au maréchal des logis, moins versé[2] que lui dans les Écritures[3], comment, deux mille ans auparavant, semblable miracle s'était produit, une créature muette ayant soudain prononcé des paroles pleines de sagesse. Malgré l'heure avancée, le curé ne put réprimer son envie de se mesurer avec son protégé. Mirko le battit lui aussi aisément. Il avait un jeu lent, tenace, imperturbable, et ne relevait jamais son large front, penché sur l'échiquier. Mais la sûreté de sa tactique était indiscutable : ni le maréchal des logis ni le curé ne parvinrent, les jours suivants, à gagner une seule partie contre lui. Le prêtre, qui connaissait mieux que personne le retard de son pupille[4] dans d'autres domaines, devint extrêmement curieux de savoir si ce don singulier[5] se confirmerait face à des adversaires plus sérieux. Il conduisit Mirko chez le barbier[6] du village, fit tailler sa tignasse couleur de paille, pour le rendre plus présentable ; après quoi, il l'emmena en traîneau à la petite ville voisine. Il connaissait là quelques joueurs d'échecs enragés, plus forts que lui, et toujours attablés dans un coin du café de la Grand-Place. Quand le curé entra, poussant devant lui ce garçon de quinze ans aux cheveux blonds, aux joues rouges, les épaules couvertes d'une peau de mouton retournée et chaussé de grosses bottes lourdes, les

1. Le curé.
2. Compétent.
3. La Bible.
4. Protégé.
5. Surprenant, unique.
6. Coiffeur pour hommes.

habitués ouvrirent de grands yeux. Le jeune gars resta planté là, le regard timidement baissé, jusqu'à ce qu'on l'appelât à l'une des tables d'échecs. Il perdit la première partie, n'ayant jamais vu son excellent protecteur pratiquer ce qu'on appelle l'ouverture sicilienne. La seconde fois, il faisait déjà partie nulle contre le meilleur joueur de la société, et dès la troisième et la quatrième, il les battait tous l'un après l'autre.

C'est ainsi qu'une petite ville de province yougoslave fut le théâtre d'un événement des plus palpitants et que ses notables[7] au grand complet assistèrent aux débuts sensationnels de ce champion villageois. À l'unanimité, on décida de retenir en ville le jeune prodige jusqu'au lendemain, pour pouvoir informer de sa présence les autres membres du club, et surtout pour prévenir dans son château le vieux comte Simczic, un fanatique du jeu d'échecs. Le curé, qui regardait son pupille avec une fierté toute nouvelle, ne pouvait cependant pas, malgré la joie de cette découverte, négliger ses devoirs dominicaux[8] ; il se déclara prêt à laisser Mirko à ces messieurs, pour qu'il fît mieux encore ses preuves. Le jeune Czentovic fut alors installé à l'hôtel, aux frais des joueurs, et il vit ce soir-là pour la première fois de sa vie un cabinet muni d'une chasse d'eau... Le dimanche après-midi suivant, dans une salle comble, Mirko demeura assis sans bouger quatre heures durant devant l'échiquier et sans prononcer une parole, ni même lever les yeux, il vainquit tous ses adversaires. Quelqu'un proposa une partie simultanée. On eut mille peines à expliquer au rustaud[9] qu'on entendait par là le faire jouer seul contre plusieurs partenaires. Mais sitôt que Mirko

La Yougoslavie

Cet État, créé en 1918, rassemblait la Serbie, la Macédoine, la Bosnie-Herzégovine, la Slovénie, la Croatie et le Monténégro. En 1992, cette fédération éclate sous la pression des revendications nationalistes. ■

7. Personnalités importantes.
8. Du dimanche (jour de la messe).
9. Rustre, lourdaud.

eut compris le principe, il s'exécuta sans retard, alla lentement d'une table à l'autre en faisant craquer ses gros souliers et, pour finir, gagna sept parties sur les huit.

Alors commencèrent de longues délibérations. Bien que le nouveau champion ne fût pas un ressortissant[1] de la ville au sens étroit du mot, l'esprit de clocher[2] se réveilla très fort. Qui sait si la petite localité, dont l'existence était à peine relevée sur la carte, n'allait pas s'illustrer pour la première fois en donnant au monde un homme célèbre ? Un impresario[3] nommé Keller, qui s'occupait d'habitude seulement de fournir des chansons et des chanteuses au cabaret de la garnison, s'offrit à conduire le jeune phénomène à Vienne, chez un maître remarquable, disait-il, qui achèverait de l'initier à son art – il fallait seulement que l'on voulût bien pourvoir aux frais[4] d'un an de séjour dans la capitale. Le comte Simczic, qui, en soixante ans de pratique quotidienne, n'avait jamais rencontré d'adversaire aussi étonnant, signa un chèque sur-le-champ. Ainsi commença l'extraordinaire carrière de ce fils de batelier.

En six mois, Mirko apprit tous les secrets de la technique du jeu d'échecs ; ses connaissances étaient étroitement limitées, il est vrai, et l'on devait en rire souvent dans les cercles[5] qu'il fréquenta par la suite. Car Czentovic ne parvint jamais à jouer une seule partie dans l'abstrait, ou, comme on dit, à l'aveugle. Il était absolument incapable de se représenter l'échiquier en imagination dans l'espace. Il avait toujours besoin de voir devant lui, réelles et palpables, les soixante-quatre cases noires et blanches, et les trente-deux figures du jeu. Même lorsqu'il fut célèbre dans le monde entier, il

? A votre Avis

Pourquoi Czentovic suscite-t-il les moqueries ?

☐ Il n'est pas élégant.

☐ Il est incapable de jouer sans échiquier.

☐ Il fait des envieux.

1. Habitant.
2. Chauvin (patriote à l'excès).
3. Homme qui s'occupe de la carrière d'un artiste.
4. Financer.
5. Clubs.

prenait avec lui un échiquier de poche, pour mieux se mettre dans l'œil la position des pièces, s'il voulait résoudre un problème ou reconstituer une partie de maître. Ce défaut, négligeable en lui-même, décelait[6] assez son manque d'imagination, et on le commentait vivement dans le milieu qui l'entourait, comme on eût fait, parmi les musiciens, d'un virtuose[7] ou d'un chef d'orchestre distingué qui se fût montré incapable de jouer ou de diriger sans avoir la partition ouverte devant lui. Mais cette particularité ne retarda nullement les stupéfiants progrès de Mirko. À dix-sept ans, il avait déjà remporté une douzaine de prix ; à dix-huit ans, il était champion de Hongrie ; et enfin à vingt ans, champion du monde. Les plus hardis[8] joueurs, ceux qui par l'intelligence, l'imagination et l'audace dépassaient infiniment Czentovic, ne purent résister à son implacable[9] et froide logique, pas plus que Napoléon devant le lourd Koutousov, ou Annibal devant Fabius Cunctator, dont Tite-Live[10] rapporte qu'il présentait lui aussi dans son jeune âge des signes frappants d'indifférence et d'imbécillité. L'illustre galerie des maîtres de l'échiquier comprenait jusqu'alors les types de haute intelligence les plus divers, des philosophes, des mathématiciens, cerveaux imaginatifs et souvent créateurs ; pour la première fois un personnage étranger au monde de l'esprit y figura désormais sous les traits de ce rustre lourdaud et taciturne, auquel les plus habiles journalistes ne parvinrent jamais à soutirer le moindre mot qui pût servir à leurs articles. Il est vrai qu'on se rattrapait largement en anecdotes sur son compte. Car, si la maîtrise de Czentovic était incontestable devant l'échiquier, il deve-

190

200

210

Stratégies militaires

Le Romain Fabius Cunctator vint à bout du brillant général carthaginois Annibal (ou Hannibal) au terme d'un conflit qui dura dix-sept ans (deuxième guerre punique, IIIe s. av. J.-C.). De même, en 1812, à la tête de l'armée russe, Koutousov usa les armées du fin stratège Napoléon jusqu'à les mettre en déroute. ∎

6. Révélait.
7. Musicien à la technique parfaite.
8. Déterminés.
9. Impitoyable.
10. Historien romain (Ier s. av. J.-C.).

nait, dès l'instant qu'il le quittait, un individu comique et presque grotesque, en dépit de son cérémonieux habit noir et de ses cravates pompeusement[1] ornées d'une perle un peu voyante. Malgré ses mains soignées aux ongles laborieusement polis, il gardait les manières et le maintien[2] du jeune paysan borné[3] qui balayait autrefois la chambre du curé de son village. Avec un maladroit et impudent cynisme[4], qui faisait tour à tour la joie et le scandale de ses collègues, il ne songeait qu'à tirer tout l'argent possible de son talent et de son renom[5]. Sa cupidité[6] ne reculait devant aucune mesquinerie[7], fût-ce la plus ordinaire. Il voyageait beaucoup, mais descendait toujours dans les hôtels de troisième ordre[8], et acceptait de jouer dans les clubs les plus ignorés, pourvu qu'il touchât ses honoraires[9]. On le vit sur une affiche faire la réclame[10] d'un savon et, sans se soucier des moqueries de ses concurrents qui le savaient incapable d'écrire trois phrases correctement, il vendit sa signature à un éditeur qui publiait une « philosophie du jeu d'échecs ». En réalité, l'ouvrage était écrit par un obscur étudiant de Galicie[11] pour cet éditeur, habile homme d'affaires. Comme tous les têtus, Czentovic n'avait aucun sens du ridicule. Depuis qu'il était champion du monde, il se croyait le personnage le plus important de l'humanité, et la conscience qu'il avait de ses victoires sur des hommes intelligents, brillants causeurs et grands clercs[12] en écriture, le fait tangible[13] surtout qu'il gagnait plus gros qu'eux dans leur propre domaine, transformèrent sa timidité native[14] en une froide présomption[15] qu'il étalait souvent grossièrement.

1. Prétentieusement.
2. L'allure.
3. Idiot.
4. Insolente immoralité.
5. Sa célébrité.
6. Son désir de s'enrichir.
7. Bassesse.
8. Des hôtels bon marché.
9. Une somme d'argent.
10. Publicité.
11. Région divisée entre la Pologne et l'Ukraine.
12. Savants.
13. Évident.
14. De naissance.
15. Prétention.

« Mais comment un si prompt succès n'eût-il pas grisé[16] une cervelle aussi vide ? » conclut mon ami, après m'avoir conté quelques traits caractéristiques de la puérile suffisance[17] de Czentovic. « Comment voulez-vous qu'un petit paysan du Banat[18], âgé de vingt et un ans, ne soit pas ivre de vanité en voyant qu'il lui suffit de déplacer des pièces sur une planche à carreaux pour gagner, en une semaine, plus d'argent que tous les habitants de son hameau n'en gagnent en une année de bûcheronnage et autres travaux éreintants[19] ? Et puis, n'est-il pas diablement aisé, en fait, de se prendre pour un grand homme quand on ne soupçonne pas le moins du monde qu'un Rembrandt, un Beethoven, un Dante[20] ou un Napoléon ont jamais existé ? Ce gaillard ne sait qu'une chose, derrière son front barré, c'est que depuis des mois, il n'a pas perdu une seule partie d'échecs, et comme précisément il ne soupçonne pas qu'il y a d'autres valeurs en ce monde que les échecs et l'argent, il a toutes les raisons d'être enchanté de lui-même. »

Ces propos de mon ami ne manquèrent pas d'exciter ma curiosité. Les monomaniaques[21] de tout poil, les gens qui sont possédés par une seule idée m'ont toujours spécialement intrigué, car plus un esprit se limite, plus il touche par ailleurs à l'infini. Ces gens-là, qui vivent solitaires en apparence, construisent avec leurs matériaux particuliers et à la manière des termites[22], des mondes en raccourci d'un caractère tout à fait remarquable. Aussi déclarai-je mon intention d'observer de près ce singulier spécimen de développement intellectuel unilatéral[23], et de bien employer à cet effet les douze jours de voyage qui nous séparaient de Rio.

250

Les valeurs

Les valeurs (l. 266) désignent ce qui est considéré comme beau, bien, vrai, digne d'intérêt. Les valeurs servent de références aux hommes pour définir leur comportement en société. ∎

260

270

16. Monté à la tête, enivré.
17. De l'orgueil enfantin.
18. Région partagée entre la Hongrie, la Serbie et la Roumanie.
19. Épuisants.
20. Peintre hollandais, compositeur allemand, poète italien, tous trois très célèbres.
21. Fous qui ont une obsession.
22. Insectes qui rongent le bois par l'intérieur.
23. À compétence unique.

« Vous avez peu de chances, pourtant, de parvenir à vos fins[1] », me prévint mon ami. « Personne, que je sache, n'a encore réussi à tirer de Czentovic le moindre indice d'ordre psychologique. Derrière son insondable[2] bêtise, ce rustre est assez malin pour ne jamais se compromettre[3]. C'est bien simple : il évite toute conversation, hormis celle des compatriotes de sa région qu'il rencontre dans les petites auberges où il fréquente. Sitôt qu'il flaire un homme instruit, il rentre dans sa coquille ; ainsi personne ne peut se vanter de l'avoir entendu dire une sottise ou d'avoir mesuré l'étendue de son ignorance, que l'on dit universelle. »

1. De réussir.
2. Extrêmement profonde.
3. S'exposer.

pause lecture 1

Embarquement immédiat !

▶ p. 13 à 22

Un départ peu banal

1 Quand et où l'histoire commence-t-elle ? VOIR ❓ PAGE 13

2 Quel événement marque l'embarquement ?

Les circonstances du voyage

3 Où va le navire ? Quand la traversée a-t-elle lieu ?
Combien de temps le trajet doit-il durer ?

4 Le navire et la mer sont-ils décrits ? Pourquoi ?

5 Quel est le temps des verbes du premier paragraphe ?
Justifiez cet emploi. Quel est le rythme de la deuxième phrase ?
Quelle est l'impression créée ?

L'apparition du champion

6 Par quoi l'attention du narrateur est-elle attirée à l'arrivée
de Czentovic ? À quel temps cette action est-elle rapportée ?
Pourquoi ?

7 L'apparition du joueur d'échecs surprend-elle le lecteur ?

8 Des lignes 14 à 41, relevez toutes les reprises nominales pour désigner
Czentovic. Quel mot est répété plusieurs fois ?
« Un oiseau rare » (l. 16) : commentez cette figure de style.
Quel effet produit cette présentation de Czentovic ?

D'un récit à l'autre

1 Qui désigne le pronom « je » (l. 23) ?

2 Qui raconte l'histoire de Czentovic ? VOIR **?** PAGE 14

Le narrateur

3 Des lignes 1 à 26 et 268 à 279, quels renseignements sont donnés sur le narrateur ? Sont-ils nombreux ?
Quel est l'effet ainsi produit ?

4 Quelle place le narrateur tient-il dans ce qu'il raconte ?
Quel point de vue narratif est adopté ?

Un ami informé

5 Pourquoi le narrateur cède-t-il la parole à son ami ?
Quelle en est la conséquence sur le récit de l'embarquement des passagers sur le navire ?

6 Comment s'appelle un récit dans un autre récit ?

Le récit de l'ami

7 Que raconte l'ami du narrateur ? Quand se situent les événements qu'il relate par rapport au début de la nouvelle ?

8 Le récit de l'ami est-il fait à la première personne ? Pourquoi ?
Comment s'opère le retour au récit du voyage ?

▶ p. 13 à 22

Un champion énigmatique

1 Quel évènement se produit « un soir d'hiver » (p. 15) ?

2 Pourquoi Czentovic possède-t-il un échiquier de poche ?
VOIR ? PAGE 18

Un être né sous le signe du manque

3 Qui a élevé Czentovic ? Pourquoi ?

4 Quelles sont ses caractéristiques physiques et morales (l. 44 à 77) ?
Quelles sont ses capacités intellectuelles (l. 34 à 56) ?

Une ascension fulgurante et... inquiétante ?

5 Relevez les indications de temps et de lieu (l. 78 à 200).
Quelles sont les étapes de la progression de Czentovic ?
À quel rythme les franchit-il ?

6 Quelles sont les caractéristiques de son jeu ?
Comment s'expliquent-elles ?

7 À qui Czentovic est-il comparé (l. 200 à 207) ? Pourquoi ?
En quoi sa réussite est-elle un peu inquiétante ?

Un objet de curiosité et... d'antipathie

8 Pourquoi l'ascension de Czentovic est-elle inattendue ?

9 Quels sont les deux centres d'intérêt du champion ?
Quels jugements provoquent-ils ?

Du texte à l'image

Observez la photographie → voir dossier images p. I

Le Paquebot *Farewells*,
photographie, 1903.

1 Identifiez le sujet de cette photographie.
Observez la composition de l'image
et l'angle de vue adopté.
Quels thèmes sont suggérés ?

2 Comparez cette photographie
avec l'évocation de l'embarquement
dans la nouvelle.

À vous de jouer

Écrivez un article de presse

Vous êtes l'un des journalistes venus couvrir l'événement : le grand
champion Mirko Czentovic s'embarque pour Buenos Aires en quête
de nouvelles victoires ! Vous rédigez un article pour la revue *Le Magazine
des échecs*.

Rédigez un dialogue

Ce « soir d'hiver », Mirko vient de battre aux échecs le maréchal des logis.
Le curé, parti administrer l'extrême-onction à l'une de ses fidèles,
est de retour. Il apprend la nouvelle avec stupéfaction. Imaginez et rédigez
le dialogue entre le curé et Mirko.

L'EXPÉRIENCE DEVAIT JUSTIFIER CES PAROLES. Pendant les premiers jours du voyage, je dus reconnaître qu'il était tout à fait impossible d'approcher Czentovic, à moins de se montrer d'une grossière indiscrétion qui n'est ni de mon goût, ni dans mes habitudes. Il se promenait parfois sur le pont-promenade, mais c'était toujours d'un air absorbé[1] et farouche[2], les mains croisées derrière le dos, dans l'attitude où un tableau bien connu représente Napoléon ; au surplus[3], il quittait les lieux avec tant de brusquerie et de précipitation, après ces déambulations[4] douteuses, qu'il eût fallu le suivre au trot pour pouvoir lui adresser la parole. Dans les divers salons, on ne le voyait jamais ni au bar, ni au fumoir[5]. Le steward[6] me confia discrètement qu'il passait le plus clair de son temps dans sa cabine, à s'entraîner ou à répéter une partie devant un grand échiquier.

Trois jours suffirent à me convaincre que sa tactique défensive était plus habile que ma volonté de l'aborder ; j'en fus très contrarié. Je n'avais encore jamais eu l'occasion de connaître personnellement un champion d'échecs, et plus je m'efforçais de m'en représenter un, moins j'y parvenais. Comment se figurer l'activité d'un cerveau exclusivement occupé, sa vie durant, d'une surface composée de soixante-quatre cases noires et blanches ? Assurément je connaissais par expérience le mystérieux attrait[7] de ce « jeu royal », le seul entre tous les jeux inventés par les hommes, qui échappe souverainement[8] à la tyrannie du hasard, le seul où l'on ne doive sa victoire qu'à son intelligence ou plutôt à une certaine forme d'intelligence. Mais n'est-ce pas déjà le limiter injurieusement que d'appeler les échecs, un jeu ? N'est-ce

10

20

30

? A votre Avis

Pourquoi le narrateur est-il « contrarié » ?

☐ Il ne parvient pas à approcher Czentovic.

☐ L'accès au pont est interdit.

☐ Le temps passe trop vite.

1. Occupé.
2. Sauvage.
3. De plus.
4. Promenades.
5. Salon où l'on se réunit pour fumer et discuter.
6. Garçon de service.
7. Intérêt.
8. Complètement.

pas aussi une science, un art, ou quelque chose qui, comme le cercueil de Mahomet entre ciel et terre, est suspendu entre l'un et l'autre, et qui réunit un nombre incroyable de contraires ? L'origine s'en perd dans la nuit des temps, et cependant il est toujours nouveau ; sa marche est mécanique[1], mais elle n'a de résultat que grâce à l'imagination ; il est étroitement limité dans un espace géométrique fixe, et pourtant ses combinaisons

40 sont illimitées. Il poursuit un développement continuel, mais il reste stérile ; c'est une pensée qui ne mène à rien, une mathématique qui n'établit rien, un art qui ne laisse pas d'œuvre, une architecture sans matière ; et il a prouvé néanmoins qu'il était plus durable, à sa manière, que les livres ou que tout autre monument, ce jeu unique qui appartient à tous les peuples et à tous les temps, et dont personne ne sait quel dieu en fit don à la terre pour tuer l'ennui, pour aiguiser l'esprit et stimuler l'âme. Où commence-t-il, où finit-il ? Un enfant peut en apprendre

50 les premières règles, un ignorant s'y essayer et acquérir, dans le carré limité de l'échiquier, une maîtrise d'un genre unique, s'il a reçu ce don spécial. La patience, l'idée subite[2] et la technique s'y joignent dans une certaine proportion très précise à une vue pénétrante des choses, pour faire des trouvailles comme on en fait dans les mathématiques, la poésie, ou la musique – en se conjuguant simplement, peut-être, d'une autre façon. Jadis, la passion de la physiognomonie[3] eût peut-être poussé un Gall[4] à disséquer les cerveaux de champions d'échecs d'une telle espèce pour voir si la matière grise de

60 pareils génies ne présentait pas une circonvolution[5] particulière qui la distinguât des autres, une sorte de muscle

1. Soumise à des règles strictes.
2. La vivacité d'esprit.
3. Étude du caractère d'après les traits du visage.
4. Médecin allemand (1758-1828) qui liait l'intelligence des personnes à la forme de leur crâne.
5. Un repli du cortex cérébral.

ou de bosse des échecs. Combien l'eût intéressé ce cas d'un Czentovic en qui ce don spécifique s'alliait à une paresse intellectuelle totale, comme un seul filon d'or qui court dans une énorme roche brute ! Certes, je comprenais dans le principe qu'un jeu si particulier, si génial, pût susciter une sorte de matador, mais comment concevoir la vie d'une intelligence tout entière réduite à cet étroit parcours, uniquement occupée à faire avancer et reculer trente-deux pièces sur des carreaux noirs et blancs, engageant dans ce va-et-vient toute la gloire de sa vie ! Comment s'imaginer un homme qui considère déjà comme un exploit le fait d'ouvrir le jeu avec le cavalier plutôt qu'avec un simple pion, et qui inscrit sa pauvre petite part d'immortalité au coin d'un livre consacré aux échecs – un homme donc, un homme doué d'intelligence, qui puisse, sans devenir fou, et pendant dix, vingt, trente, quarante ans, tendre de toute la force de sa pensée vers ce but ridicule : acculer[6] un roi de bois dans l'angle d'une planchette !

Et maintenant qu'un pareil phénomène, un aussi singulier génie ou, si l'on préfère, un fou aussi énigmatique se trouvait pour la première fois tout près de moi, sur le même bateau, à six cabines de la mienne, je me voyais refuser la possibilité de l'approcher, moi qui pour mon malheur ai toujours eu une curiosité passionnée pour les choses de l'esprit. Je me mis à inventer les stratagèmes[7] les plus absurdes : si je lui demandais une interview pour un prétendu grand journal, histoire de chatouiller sa vanité ? Ou bien, si je lui proposais un lucratif[8] tournoi en Écosse, en misant sur l'appât du gain ? Finalement, je me souvins de la méthode la plus

Matador

Avant de définir le torero qui met à mort le taureau lors d'une corrida, ce terme désigne une carte maîtresse au jeu espagnol de l'*hombre*. Zweig utilise ce mot dans ses deux sens : Czentovic est certes un maître aux échecs mais il est aussi un adversaire implacable.

6. Pousser.
7. Ruses.
8. Très bien payé.

? A votre Avis

Le narrateur et son épouse jouent aux échecs :

☐ pour occuper le temps ?

☐ parce qu'ils sont des joueurs passionnés ?

☐ pour attirer Czentovic ?

Le dilettante

Ce mot italien (l. 149) désigne, littéralement, celui qui trouve plaisir à quelque chose, comme le narrateur (l. 99). Le dilettante s'adonne à un art ou exerce une activité pour le plaisir, et non en vue d'une utilité quelconque. Sa pratique est celle d'un amateur qui ne vise pas à l'excellence ou à l'efficacité. ■

1. Sûre.
2. Mot nouveau.
3. Massif.
4. Ne manquait pas.

éprouvée[1] pour le chasseur, qui attire le coq de bruyère en imitant son cri, à la saison des amours ; n'était-ce pas en jouant aux échecs qu'assurément on attirait le mieux l'attention d'un joueur d'échecs ?

À vrai dire, je n'ai jamais été un sérieux artiste dans ce domaine, car je ne joue à ce jeu que pour mon plaisir, je ne m'assieds et ne passe une heure devant un échiquier que pour me détendre l'esprit, en refusant tout effort. Je « joue », au sens strict du mot, tandis que les autres, les vrais joueurs d'échecs, le « pratiquent-sérieux », – qu'on me permette ce néologisme[2] audacieux ! En outre, aux échecs, comme en amour, il faut un partenaire, et à ce moment-là, je ne savais s'il y avait à bord d'autres amateurs que nous. Pour les attirer au grand jour, je conçus un piège des plus simples : tel un oiseleur, je m'installai au fumoir, devant un échiquier avec ma femme qui joue encore moins bien que moi. Nous n'avions pas fait six coups qu'en effet, un promeneur puis un autre s'arrêtaient là et nous demandaient la permission de regarder, jusqu'au moment où quelqu'un me pria, comme je le désirais, de faire une partie avec lui. C'était un ingénieur écossais qui s'appelait MacConnor et qui, me dit-on, avait amassé une grosse fortune en creusant des puits de pétrole en Californie. Trapu[3], la mâchoire carrée, les dents solides, il devait sans doute en partie la riche coloration de son teint à un goût prononcé pour le whisky. Sa surprenante largeur d'épaules, qui lui donnait l'allure d'un athlète, ne laissait pas[4] de se faire sentir jusque dans son jeu, car M. MacConnor était de cette espèce d'hommes qui ont réussi et sont si pleins d'eux-mêmes qu'ils ressentent comme une humiliation personnelle de perdre, fût-ce une inoffensive partie d'échecs. Habitué à s'imposer brutalement et gâté par ses réels succès, ce *self-made-man* massif était si pénétré[5] de sa supériorité qu'il regardait toute opposition comme un désordre et presque comme une injure. Il perdit la première partie de fort mauvaise grâce, et se mit à expliquer, avec une volubile[6] autorité, que sa défaite ne pouvait venir que d'un instant de distraction. À la troisième, il s'en prenait au bruit qu'on faisait dans la chambre voisine ; il ne perdit jamais sans réclamer la revanche. Cet acharnement d'amour-propre[7] m'amusa d'abord, puis je n'y vis plus qu'une circonstance secondaire qui ne gênait en rien mon projet d'attirer à notre table le champion du monde.

Le troisième jour, mon stratagème réussit, mais à moitié seulement. Czentovic nous avait-il aperçus par un hublot en se promenant sur le pont, ou bien honorait-il par hasard le fumoir de sa présence ce jour-là ? Toujours est-il que nous le vîmes faire malgré lui quelques pas dans notre direction, et jeter, à bonne distance, un œil de connaisseur sur l'échiquier où nous nous mêlions[8] de pratiquer son art. MacConnor était justement en train de déplacer un pion. Hélas ! ce seul coup suffit à montrer à Czentovic combien nos efforts de dilettantes étaient peu dignes de son royal intérêt. Avec le geste dont on repousse, sans même le feuilleter, un mauvais roman policier à l'étalage d'une librairie, Czentovic s'écarta de notre table et quitta le fumoir. « Pesé et trouvé trop léger », me dis-je en moi-même, un peu froissé par ce regard sec et méprisant. Et, donnant cours à ma mauvaise humeur, je dis à MacConnor :

130

140

150

Un self-made-man

Littéralement, cette expression anglaise désigne un « homme qui s'est fait lui-même ». Il s'agit d'un homme parti de rien qui est monté dans la société et a fait fortune. Il constitue un modèle pour les émigrants pauvres qui arrivent aux États-Unis.

5. Persuadé.
6. Bavarde.
7. De fierté.
8. Permettions.

« Votre coup ne semble pas avoir enchanté le maître.

– Quel maître ? »

Je lui expliquai que ce monsieur qui venait de passer,
près de nous, en jetant sur notre jeu un regard désappro-
bateur[1], était Czentovic, le champion mondial des
échecs. « Eh bien ! ajoutai-je, nous n'avons plus l'un et
l'autre qu'à supporter cet affront et à nous accommoder
de son auguste[2] mépris sans en faire une maladie. Les
pauvres bougres[3] doivent faire leur cuisine à l'eau[4]. »
Mais ces paroles, prononcées avec détachement, eurent
sur MacConnor un effet surprenant. Il se montra aussitôt fort excité et en oublia la partie commencée. La
vanité lui gonflait les tempes. Il déclara qu'il n'avait pas
eu la moindre idée que Czentovic fût à bord, et qu'il
voulait absolument jouer avec lui ; qu'il n'avait encore
jamais joué contre un pareil champion, sauf une fois,
avec quarante autres, lors d'une partie simultanée qui
avait été passionnante, et qu'il avait du reste presque
gagnée. Il me demanda si je connaissais l'illustre personnage. Comme je répondais que non, il suggéra que
je pourrais l'aborder et le prier de se joindre à nous. Je
refusai, alléguant[5] que Czentovic n'était pas, à ma
connaissance, très désireux de se faire de nouvelles relations. D'ailleurs, où serait le plaisir d'une partie engagée
entre un champion du monde et les joueurs de troisième
classe que nous étions ?

J'avoue que je n'aurais pas dû employer cette expression de « joueur de troisième classe » devant un homme
aussi vaniteux que MacConnor. Il se rejeta en arrière,
déclara sèchement que pour sa part, il ne croyait pas
Czentovic capable de décliner l'invitation courtoise[6]

---

1. Qui marque
son désaccord.
2. Noble (emploi ironique).
3. Types.
4. Se contenter de peu
(image).
5. Sous prétexte.
6. Polie.

d'un gentleman[7] et qu'il allait s'en occuper. Sitôt que je lui eus, à sa requête, brièvement décrit la personne du champion, il s'élança impétueusement[8] à sa recherche sur le pont, abandonnant avec une parfaite indifférence notre échiquier. Je m'aperçus une fois de plus qu'on ne pouvait guère retenir le propriétaire de ces remarquables épaules quand il avait un projet en tête.

J'attendis avec un peu d'anxiété. Au bout de dix minutes, MacConnor revint, et il ne me parut pas beaucoup plus calme.

« Eh bien ? demandai-je.

– Vous aviez raison », me répondit-il, l'air un peu vexé. « Ce monsieur n'est pas très aimable. Je me suis présenté, j'ai décliné mes qualités[9]. Il ne m'a même pas tendu la main. Je me suis efforcé alors de lui expliquer combien nous tous, à bord, serions heureux qu'il acceptât de jouer une partie simultanée contre nous. Il demeura raide comme un piquet et me répondit qu'il regrettait, mais qu'il s'était expressément engagé par contrat, vis-à-vis de son agent, à ne jamais jouer, durant toute sa tournée, sans toucher d'honoraires. Il se voyait donc obligé de demander au minimum deux cent cinquante dollars par partie. »

Je me mis à rire. « Je n'aurais jamais pensé que pousser des pions d'un carreau noir sur un carreau blanc fût une affaire aussi lucrative. J'espère que vous lui avez poliment tiré votre révérence. »

Mais MacConnor garda tout son sérieux. « La partie aura lieu demain après-midi, à trois heures, dans ce fumoir. J'espère que nous ne nous laisserons pas si facilement battre à plate couture.

---

7. Homme bien élevé.
8. Vivement.
9. Titres.

– Quoi ? Vous avez accepté ces conditions ? m'écriai-je, consterné[1].

220 – Pourquoi pas ? *C'est son métier*. Si j'avais mal aux dents et qu'il se trouvât un dentiste à bord, je ne lui demanderais pas de m'arracher une dent gratuitement. Czentovic a bien raison d'y aller carrément : dans tous les domaines, les gens vraiment capables ont toujours su faire leurs affaires. Et quant à moi, j'estime que plus un marché est clair, mieux cela vaut. Je préfère payer *cash*[2], plutôt que de compter sur les faveurs du sieur Czentovic et d'être obligé de le remercier pour finir. Après tout, à mon club il m'est arrivé déjà de perdre plus de deux cent

230 cinquante dollars en un soir, et cela sans avoir le plaisir de jouer contre un champion du monde. Pour un "joueur de troisième classe", il n'y a pas de honte à être battu par un Czentovic. »

Je fus amusé de voir combien l'amour-propre de MacConnor avait été profondément blessé par cette innocente expression de « joueur de troisième classe ». Mais puisqu'il était résolu à faire les frais de ce coûteux plaisir, je n'avais rien à objecter contre[3] sa ridicule vanité, puisqu'elle allait enfin me permettre de voir de

240 plus près le singulier personnage qui excitait ma curiosité. Nous nous hâtâmes d'informer de l'événement les quatre ou cinq joueurs d'échecs que nous connaissions à bord, et pour être aussi peu gênés que possible par le flot des badauds[4], pendant le match prévu, nous fîmes réserver toutes les tables voisines de la nôtre.

Le jour suivant, à l'heure convenue, notre petit groupe était au complet. Bien entendu, on donna à MacConnor la place qui faisait face à celle du maître.

1. Désolé.
2. En argent liquide.
3. Opposer à.
4. Passants curieux.

Nerveux, l'Écossais allumait cigare sur cigare en consultant sans cesse la pendule. Mais notre illustre champion se fit attendre dix bonnes minutes, ce qui ne m'étonna guère, après les récits de mon ami – et il fit ensuite son apparition avec un insolent aplomb[5]. Il se dirigea vers la table d'un pas tranquille et mesuré. Sans se présenter – « Vous savez qui je suis, et cela ne m'intéresse pas de savoir qui vous êtes », semblait-il nous signifier par cette impolitesse –, il se mit à organiser le jeu avec une sécheresse toute professionnelle. Comme une partie simultanée ordinaire était impossible, faute d'un nombre suffisant d'échiquiers, il proposa que nous jouions tous ensemble contre lui. Après chaque coup, il s'en irait à l'autre bout de la chambre, pour ne pas troubler nos délibérations. Aussitôt que nous aurions joué, nous frapperions sur un verre avec une cuiller pour l'avertir, puisque malheureusement, il n'y avait pas ici de sonnette. Si nous étions d'accord, on fixerait à dix minutes le temps d'intervalle entre deux coups. Nous acceptâmes naturellement toutes ses propositions comme de timides écoliers. Le sort donna les noirs[6] à Czentovic ; en réplique à notre ouverture, il joua son premier coup sans même s'asseoir et s'en fut aussitôt dans le fond de la pièce, à la place qu'il avait choisie pour attendre ; là, il feuilleta négligemment un journal illustré.

Le récit détaillé de cette partie offrirait peu d'intérêt. Elle se termina bien sûr comme elle devait se terminer : en vingt-quatre coups, nous étions déjà complètement battus. Quoi d'étonnant à ce qu'un champion mondial ait aisément raison en un tournemain[7] d'une demi-

5. Assurance.
6. Pions noirs.
7. En un instant.

Gagner aux échecs

Les joueurs disposent de huit pions et de huit figures : le roi, la reine, deux tours, deux fous, deux chevaux ; le gagnant est celui qui prend le roi de son adversaire. Le roi est échec et mat lorsqu'on ne peut plus le sauver. ∎

douzaine de joueurs moyens, ou à peine moyens ! Ce qui nous était désagréable, c'était seulement la suffisance[1] avec laquelle Czentovic nous faisait sentir de façon trop évidente sa supériorité. À chaque coup, il ne jetait sur l'échiquier qu'un regard en apparence distrait, nous considérait négligemment, en passant, comme si nous n'étions nous-mêmes que d'inertes pièces de bois, et cette attitude désinvolte[2] faisait involontairement songer au geste avec lequel on lance un os à un chien galeux, en se détournant. S'il avait un peu de délica-tesse, me disais-je, il pourrait attirer notre attention sur les fautes que nous faisons, ou bien nous encourager d'un mot aimable. Mais non, la partie terminée, cette machine à jouer aux échecs prononça : « Mat ! », sans plus, puis resta là, immobile et muette, attendant de savoir si nous désirions recommencer. On est toujours dépourvu de moyens devant des épidermes[3] aussi épais, et je m'étais déjà levé, signifiant par là que pour ma part du moins, j'estimais terminé ce divertissement, lorsque à mon grand dépit[4], j'entendis MacConnor dire à côté de moi, d'une voix tout enrouée : « Revanche ! »

Je fus presque épouvanté de son ton provocant ; en ce moment, MacConnor faisait en effet plutôt penser à un boxeur qui va assener[5] un coup qu'à un gentleman bien élevé. Était-ce la manière peu agréable dont nous avait traités Czentovic, ou simplement son ambition maladive et irritable ?... toujours est-il que MacConnor paraissait avoir changé de nature. Rouge jusqu'à la racine des cheveux, les narines dilatées[6], il transpirait visiblement, et se mordait les lèvres. Un pli profond se creusait de sa bouche à son menton tendu en avant,

1. Satisfaction méprisante.
2. Méprisante.
3. Couches supérieures de la peau (image pour dénoncer une attitude grossière).
4. Déception.
5. Donner violemment.
6. Élargies.

l'air agressif. Dans ses yeux, je reconnus avec inquiétude cette flamme de folle passion qui ne saisit d'ordinaire que les joueurs de roulette quand, pour la sixième ou septième fois, ils ont misé double sur une couleur qui ne sort pas. À cet instant, je fus certain que cet amour-propre forcené[7] allait lui coûter toute sa fortune, qu'il allait jouer et rejouer sans cesse, en simple ou en doublé, contre Czentovic jusqu'à ce qu'il ait gagné au moins une fois. Et si le champion persévérait[8], MacConnor serait pour lui une mine d'or dont il tirerait bien quelques milliers de dollars avant que nous ne soyons à Buenos Aires.

Czentovic demeura impassible. « Comme il vous plaira, répondit-il poliment. C'est à ces messieurs de prendre les noirs. »

La deuxième partie débuta comme la première à la seule différence que notre cercle s'était élargi et animé de quelques curieux. MacConnor regardait fixement l'échiquier, on eût dit qu'il voulait magnétiser[9] les pièces pour les mener à la victoire. Je sentais qu'il eût volontiers donné mille dollars pour avoir le plaisir de crier : « mat » à son peu galant[10] adversaire. Bizarrement, il nous communiquait malgré nous quelque chose de sa ténacité acharnée[11]. Nous discutions chaque coup avec plus de passion qu'auparavant, et nous ne nous mettions d'accord qu'au dernier moment pour donner à Czentovic le signal qui le rappelait à notre table. Nous étions parvenus ainsi peu à peu au dix-septième coup et, à notre propre ahurissement[12] la situation se présentait à notre avantage, car, chose incroyable, nous avions réussi à amener le pion de la ligne c jusqu'à l'avant-

7. Furieux.
8. Continuait.
9. Hypnotiser.
10. Impoli.
11. Obstination entêtée.
12. Grand étonnement.

L'échiquier

Le plateau se compose de soixante-quatre cases identifiées par une lettre et un chiffre. La lettre indique la colonne et le chiffre la ligne où la case est située. ■

dernière case c2 ; il ne restait qu'à l'avancer en c1 pour faire une nouvelle dame[1]. Nous n'étions, il est vrai, pas tout à fait rassurés devant une chance aussi apparente. À l'unanimité, nous soupçonnions Czentovic, qui devant cet avantage que nous paraissions avoir conquis, voyait évidemment beaucoup plus loin que nous, de nous tendre cet appât avec d'autres intentions. Mais nous eûmes beau chercher et discuter, nous ne pûmes découvrir le traquenard[2]. Finalement, le délai de réflexion réglementaire touchant à sa fin, nous nous décidâmes à risquer le coup. Déjà, MacConnor poussait le pion, lorsque quelqu'un le saisit brusquement par le bras et lui chuchota avec véhémence[3] : « Pour l'amour du ciel, pas cela ! »

Involontairement, chacun se retourna. Nous vîmes un homme d'environ quarante-cinq ans, au visage étroit et anguleux, que j'avais déjà rencontré sur le pont, et qui m'avait frappé par sa pâleur étrange, son teint presque crayeux[4]. Il avait dû s'approcher de nous durant ces dernières minutes, pendant que nous étions absorbés tout entiers par le problème à résoudre. Sentant nos regards posés sur lui, il ajouta très vite :

« Si vous faites dame maintenant, il vous attaque immédiatement avec le fou en c1, et vous ripostez avec le cavalier. Mais entre-temps, il ira menacer votre tour en d7 avec son pion libre, et même si vous faites échec avec le cavalier, vous êtes perdus et battus en neuf ou dix coups. Ce sont à peu près les positions qu'avaient Aljechin et Bogoljubow lors du grand tournoi de Pistyan en 1922. »

Surpris, MacConnor lâcha la pièce qu'il tenait dans la main et regarda, émerveillé comme nous tous, cet

1. Transformer le pion en dame, coup très avantageux.
2. La ruse.
3. Énergiquement.
4. Blanc.

homme qui semblait tomber du ciel, tel un ange sauveur. Pour prévoir neuf coups d'avance qui feraient mat, ce devait être un professionnel distingué, peut-être même un champion concurrent de Czentovic, se rendant au même tournoi. Son arrivée et sa soudaine intervention à un moment aussi critique[5] tenaient presque du miracle. Ce fut MacConnor qui se ressaisit le premier.

« Que me conseillez-vous ? murmura-t-il, fort excité.

– N'avancez pas maintenant, évitez l'adversaire ! Avant tout, éloignez le roi de la dangereuse ligne g8-h7. Votre partenaire attaquera probablement sur l'autre flanc, mais vous y parerez[6] avec la tour, c8-c4 ; cela lui coûtera deux coups, un pion et sa supériorité. Vous lutterez alors, pion libre contre pion libre et si vous vous défendez bien, vous ferez partie nulle. Vous ne pouvez pas tirer mieux de la situation. »

Nous étions de plus en plus étonnés. La précision autant que la rapidité de ses calculs étaient déconcertantes[7] ; on eût dit que cet homme lisait ses coups dans un livre. La chance inespérée que nous avions maintenant de faire, grâce à lui, partie nulle contre un champion du monde tenait de la magie. D'un commun accord, nous nous écartâmes pour mieux lui laisser voir l'échiquier. MacConnor lui demanda encore une fois :

« Déplacer le roi de g8 en h7 ?

– Certainement ! Il faut éviter l'adversaire. »

MacConnor obéit, et nous frappâmes sur le verre. Czentovic s'avança vers notre table de son pas tranquille, et apprécia la riposte[8] d'un coup d'œil. Puis il poussa un pion de h2 en h4, sur l'autre flanc du roi,

5. Difficile.
6. Vous vous protégerez.
7. Surprenantes.
8. Contre-attaque.

comme l'avait prévu notre sauveteur inconnu, qui aussitôt nous chuchota vivement :

« La tour, avancez la tour de c8 en c4, pour qu'il soit obligé d'abord de protéger son pion. Cela ne lui servira d'ailleurs à rien ! Vous attaquerez alors avec le cavalier, c3-d5, sans vous soucier de son pion libre, et voilà la situation rétablie. Cette fois, en avant toute, il n'est plus nécessaire de vous défendre ! »

Nous ne comprenions pas ce qu'il voulait dire, pas plus que s'il eût parlé chinois. Cependant MacConnor, déjà entièrement subjugué[1], fit ce qu'on lui ordonnait sans réfléchir davantage. Le verre tinta de nouveau, rappelant Czentovic. Pour la première fois, il ne joua pas aussitôt, il regarda d'abord l'échiquier avec une attention soutenue. Puis il fit exactement le coup que l'étranger nous avait annoncé et s'apprêta à s'éloigner. Cependant, avant de se détourner, se produisit un fait nouveau, inattendu : Czentovic leva les yeux et il examina nos rangs. Il cherchait manifestement à savoir qui lui opposait tout à coup une si énergique résistance.

Dès ce moment, notre excitation ne connut plus de bornes. Si nous avions été jusque-là sans espoir, la pensée de briser la froide arrogance[2] de Czentovic nous brûlait maintenant le sang. Déjà notre nouvel ami avait décidé du coup suivant. Mes doigts tremblaient quand je saisis la cuiller pour frapper sur le verre. Nous connûmes alors notre premier triomphe. Le champion, qui avait toujours joué debout, hésita... hésita, et finit par s'asseoir. Il se laissa tomber à regret et pesamment sur son siège ; qu'importe, il cessait ainsi de marquer physiquement sa supériorité sur nous. Nous l'avions obligé à

? A votre Avis

Pourquoi Czentovic s'assoit-il ?

☐ Il est fatigué.
☐ Il est en difficulté.
☐ Il a le mal de mer.

410

420

430

1. Émerveillé, séduit.
2. Mépris.

se mettre sur le même plan que nous, tout au moins dans l'espace. Il réfléchit longtemps, penché sur l'échiquier, si bien qu'on ne voyait presque plus ses yeux, sous les sombres paupières, et il faisait un tel effort de réflexion qu'il en ouvrait insensiblement la bouche, ce qui donnait à sa figure ronde une expression un peu niaise[3]. Au bout de quelques minutes, il joua et se leva. Notre ami murmura aussitôt :

« Bien joué ! Il ne se compromet[4] pas. Mais ne vous y laissez pas prendre ! Obligez-le à choisir, il le faut, pour obtenir partie nulle ; et alors rien ne pourra plus le sauver. »

MacConnor obéit. Dans les coups suivants, les deux adversaires se livrèrent sur l'échiquier à un manège auquel nous autres – réduits depuis longtemps au rôle de comparses[5] inutiles – ne comprenions rien du tout. Après six ou sept coups, Czentovic resta longtemps songeur, puis il déclara : « Partie nulle. »

Il y eut un instant de silence complet. Dans le fumoir, on entendit tout à coup le bruit des vagues, la radio du salon nous envoya un jazz[6], chaque pas résonna distinctement sur le pont ; on perçut jusqu'au léger sifflement du vent passant par les interstices[7] des fenêtres. Le souffle coupé par la rapidité de l'événement, nous étions véritablement effrayés de l'invraisemblance de cette aventure. Comment cet inconnu avait-il eu le pouvoir de faire perdre à moitié une partie à un champion du monde ? MacConnor se renversa brusquement en arrière, et poussa un « ah ! » joyeux. De mon côté, j'observai Czentovic. Il m'avait semblé qu'il pâlissait déjà un peu pendant les derniers coups. Mais il savait se

3. Idiote.
4. S'engage.
5. Figurants.
6. Un air de jazz.
7. Fentes.

contenir. Toujours raide et l'air indifférent, il demanda d'une voix neutre, en repoussant de la main les pièces de l'échiquier :

« Ces messieurs désirent-ils faire encore une troisième partie ? »

Il posait la question de manière purement objective[1], en homme d'affaires. Mais en prononçant ces mots, il ne s'adressait pas à MacConnor, car il jeta un regard perçant et direct dans la direction de notre sauveteur. Comme un cheval sait distinguer et reconnaître un meilleur cavalier à son assiette[2], Czentovic devait avoir reconnu son véritable adversaire aux derniers coups de la partie. Involontairement, nous avions suivi son regard et un peu tendus, nous tournâmes les yeux vers l'étranger. Pourtant, sans lui laisser le temps de réfléchir ou seulement de répondre, MacConnor lui cria, débordant d'orgueil triomphant : « Naturellement ! Mais vous allez jouer seul contre lui ! Vous seul contre Czentovic ! »

Un fait surprenant se produisit alors. L'étranger, qui était resté bizarrement absorbé par l'échiquier déjà débarrassé, sursauta en sentant tous les yeux fixés sur lui, et en s'entendant interpeller avec un tel enthousiasme. Son visage parut troublé.

« Jamais de la vie, messieurs, bégaya-t-il, visiblement confus. C'est tout à fait impossible... je ne saurais entrer en considération[3]... il y a vingt ou vingt-cinq ans que je n'ai pas vu d'échiquier... je suis intervenu dans votre jeu sans votre permission, et je m'aperçois maintenant seulement combien c'était déplacé[4] de ma part... veuillez excuser un importun[5]... qui ne recommencera pas, je

1. Froidement, de manière détachée.
2. À la manière dont il se tient en selle.
3. Être pris en compte.
4. Incorrect.
5. Gêneur.

vous assure. » Et, avant que nous fussions remis de notre surprise, il avait quitté la pièce.

« Cela ne se passera pas ainsi ! » tonna le bouillant MacConnor en frappant du poing sur la table. « Vingt-cinq ans que cet homme n'a pas joué aux échecs ? C'est tout à fait impossible ! Il combinait chaque coup, chaque riposte au moins cinq ou six coups à l'avance. Personne ne peut jouer ainsi tout de go[6]. C'est absolument impossible – n'est-ce pas ? » Il s'était tourné sans le vouloir vers Czentovic en disant ces derniers mots. Mais le champion du monde resta impassible.

« Je ne puis en juger. Il est certain que monsieur a joué de manière un peu étonnante et non sans intérêt ; c'est pourquoi je lui ai intentionnellement laissé une chance. » Tout en parlant, il se leva et ajouta négligemment, de sa voix neutre[7] :

« Si l'un ou l'autre de ces messieurs désirait faire une autre partie demain, je suis à leur disposition dès trois heures de l'après-midi. »

Nous ne pûmes réprimer un léger sourire. Nous savions tous que Czentovic n'avait pas eu à se montrer généreux envers notre sauveteur inconnu, et que sa remarque n'était qu'un naïf subterfuge[8] servant à cacher sa mésaventure. Notre désir d'abaisser un orgueil aussi invétéré[9] s'en accrut. Paisibles et indolents[10] passagers que nous étions jusque-là, nous fûmes saisis soudain d'une humeur sauvage et batailleuse à la pensée que sur ce bateau, en plein océan, Czentovic pourrait se voir arracher ses palmes. Ce serait un record immédiatement annoncé par radio au monde entier ! À cela s'ajoutait encore l'attrait du mystère dans lequel était

Les palmes

Chez les Grecs anciens et les Romains, les feuilles du palmier récompensaient les guerriers victorieux et les vainqueurs des compétitions sportives. Aujourd'hui encore, elles symbolisent la victoire. ■

6. Directement, sans entraînement.
7. D'un ton indifférent.
8. Une ruse simpliste.
9. Endurci.
10. Calmes.

apparu notre héros, juste à l'instant critique, et le contraste de sa modestie presque excessive avec l'imperturbable arrogance du professionnel. Qui était cet inconnu ? Le hasard nous avait-il fait découvrir un nouveau génie de l'échiquier ? Ou bien était-ce un maître déjà célèbre, qui nous cachait son nom pour un motif impénétrable[1] ? Nous débattions ces questions avec la plus grande animation, et les hypothèses les plus hardies[2] ne l'étaient point encore assez pour concilier la timidité de l'étranger et sa surprenante confession, avec son évidente connaissance du jeu d'échecs. Sur un point, cependant, nous étions unanimes[3] : nous ne voulions à aucun prix renoncer au spectacle d'un nouvel affrontement. Nous convînmes de tout tenter pour décider l'inconnu à jouer une partie contre Czentovic, le lendemain, et MacConnor s'engagea à couvrir les risques financiers de l'affaire. Sur ces entrefaites[4], on apprit en interrogeant le steward que l'étranger était autrichien, et je fus chargé, puisque j'étais son compatriote, de lui présenter notre requête.

1. Inexplicable.
2. Audacieuses.
3. Tous d'accord.
4. À ce moment-là.

pause lecture 2

Les confidences du narrateur

1 Au début du voyage, pourquoi le narrateur est-il contrarié ?
VOIR ❓ PAGE 27

2 Quel est le niveau du narrateur aux échecs ?

Un « honnête homme »

3 Pourquoi le narrateur n'arrive-t-il pas à rencontrer Czentovic ?

4 Expliquez les guillemets qui entourent le verbe « jouer » (l. 102).
Le narrateur veut-il rencontrer Czentovic pour observer son jeu ?
Quelle est sa motivation profonde ?

5 À quels moments la modération et la retenue du narrateur
se manifestent-elles ? À quelles valeurs est-il attaché ?

Un éloge du jeu d'échecs (l. 17 à 81)

6 Dans la phrase des lignes 40 à 48, relevez tous les mots qui renvoient
à l'absence, puis ceux qui renvoient à la totalité.
En quoi le jeu d'échecs est-il unique ?

7 Quelles qualités les échecs demandent-ils ? Quelles contradictions
sont ici soulignées ?

8 Pourquoi la personnalité de Czentovic intéresse-t-elle particulièrement
le narrateur ? Quelle comparaison emploie-t-il pour la faire
comprendre au lecteur ?

Un stratagème efficace

1 Pourquoi le narrateur joue-t-il aux échecs ? VOIR **?** PAGE 29

2 Combien les joueurs disputent-ils de parties contre Czentovic ?

Le plan de bataille

3 Quelle tactique le narrateur adopte-t-il pour entrer en contact avec Czentovic ? Combien de jours ont passé depuis le début du voyage ?

4 Pourquoi le stratagème réussit-il « à moitié seulement » (l. 139-140) ? Quel effet inattendu a-t-il ?

Un appui décisif : MacConnor

5 Montrez que le physique de MacConnor correspond parfaitement à sa personnalité et à sa situation sociale.

6 Quels sentiments poussent MacConnor à vouloir absolument jouer contre le champion d'échecs ?

7 Qu'est-ce qui décide Czentovic à accepter une partie ? MacConnor est-il surpris par son attitude ? Quels sont leurs points communs ?

Affrontement et violence

8 Montrez que l'attitude de Czentovic est à la fois grossière et méprisante. Quelles comparaisons le narrateur emploie-t-il pour faire comprendre la façon dont le champion considère les autres joueurs (l. 280 à 300) ?

9 Comment les autres joueurs réagissent-ils ?

▶ p 27 à 44

Un joueur providentiel

1 Quel événement modifie le cours de la deuxième partie d'échecs ?
VOIR **?** PAGE 40

2 Que souhaite ardemment le groupe des joueurs ?

Une intervention inespérée

3 À quel moment l'inconnu apparaît-il ? Comment son apparition est-elle mise en valeur ? Pourquoi le groupe des joueurs considère-t-il cet homme comme un « sauveteur » (l. 475) ?

4 Sur quels traits physiques le narrateur insiste-t-il (l. 356 à 360) ?
Quel est le temps verbal dominant dans ses paroles pendant la partie ?
Quelle est sa valeur ?

5 Quel signe de ponctuation domine dans les paroles de l'inconnu à la fin de la partie (l. 490 à 497) ? Que traduit-il ?
Quel propos semble incroyable ?

Un coup de théâtre

6 Qui propose une troisième partie ? Pourquoi l'inconnu refuse-t-il ?
Que désire le groupe des joueurs ?

7 Quelle interrogation nouvelle excite la curiosité du narrateur ?

8 En quoi notre compréhension du titre du récit peut-elle être remise en cause ?

Du texte à l'image

Observez le tableau → voir dossier images p. II

Daumier, *Le Joueurs d'échecs*, huile sur toile, 1863.

1 Observez les jeux de lumière. À votre avis, qui va jouer ?

2 Décrivez l'attitude des deux joueurs. Que nous révèle-t-elle de leurs états d'esprit respectifs ?

3 Quels rapprochements pouvez-vous faire avec les parties relatées dans le livre ?

À vous de jouer

Rédigez un éloge

Présentez le jeu de votre choix, en soulignant les qualités qu'il demande au joueur.

Écrivez un dialogue

À la demande de ses partenaires de jeu, le narrateur doit décider l'inconnu à jouer contre Czentovic le lendemain. Il essaie de le persuader. Écrivez leur dialogue sur le pont du bateau.

J'EUS VITE FAIT DE LE RETROUVER, sur le pont où il s'était réfugié sans tarder. Il lisait, étendu sur sa chaise longue. Avant de l'aborder, je le considérai[1] longuement. Sa tête anguleuse s'appuyait aux coussins dans une pose un peu lasse[2], et l'étonnante pâleur de ce visage relativement jeune me frappa de nouveau. Ses cheveux étaient tout blancs ; j'avais, je ne sais pourquoi, l'impression que cet homme avait vieilli prématurément. Il se leva avec courtoisie[3] lorsque je m'approchai de lui et se présenta. Son nom, qui me fut aussitôt familier, était celui d'une vieille famille autrichienne très considérée ; je me souvins qu'un très proche ami de Schubert[4] l'avait porté, ainsi qu'un des médecins du vieil empereur[5]. Lorsque j'eus fait part au Dr B... de notre désir qu'il acceptât le défi de Czentovic, il sembla très déconcerté[6]. Je découvris qu'il n'avait pas eu la moindre idée qu'il jouait contre un champion, et même contre le champion le plus célèbre de l'époque. Ce fait parut l'impressionner beaucoup, car il me demanda plusieurs fois et avec insistance si j'étais sûr de ce que j'avançais, et si son adversaire était vraiment un maître aussi connu. Cela facilita ma tâche, comme je le vis bientôt. Cependant, je sentais en lui tant de délicatesse que je jugeai plus à propos de ne rien dire des risques matériels[7] que MacConnor prenait à sa charge, en cas de défaite. Après un long moment d'hésitation, M. B... se déclara prêt à disputer une partie, mais non sans m'avoir expressément[8] prié d'avertir encore une fois ces messieurs qu'ils ne devaient pas fonder de trop grands espoirs sur ses talents.

1. L'observai.
2. Fatiguée.
3. Politesse.
4. Compositeur autrichien (1797-1828).
5. François-Joseph Ier, empereur de l'Empire austro-hongrois jusqu'en 1916.
6. Surpris.
7. Financiers.
8. Nettement.

? À votre Avis

Pourquoi M. B. hésite-t-il à jouer ?

☐ Par modestie.
☐ Il ne connaît pas les règles du jeu.
☐ Pour une raison mystérieuse.

« Car, ajouta-t-il avec un sourire pensif, j'ignore, en vérité, si je suis capable ou non de jouer une partie d'échecs selon toutes les règles. Croyez-moi, c'était sans aucune fausse modestie que j'ai affirmé n'avoir pas touché à un échiquier depuis le temps où j'étais lycéen, c'est-à-dire depuis plus de vingt ans. Et je n'étais, même alors, qu'un joueur insignifiant[1]. »

Il disait cela avec tant de simplicité que je ne pouvais douter le moins du monde de sa sincérité. Néanmoins, je ne pus m'empêcher d'exprimer mon étonnement de ce qu'il pût se rappeler si exactement les tactiques des différents maîtres qu'il avait cités ; il devait s'être beaucoup intéressé aux échecs, théoriquement du moins. À ces mots, M. B... eut de nouveau son étrange sourire songeur.

« Si je m'en suis occupé ! Dieu seul sait à quel point ce que vous venez de dire est vrai. Mais la chose se produisit dans des circonstances tout à fait particulières, voire uniques. C'est une histoire assez compliquée, et qui pourrait tout au plus servir d'illustration à la charmante et grandiose époque où nous vivons. Si vous avez la patience de m'écouter une demi-heure... »

D'un geste, il m'avait invité à m'asseoir sur la chaise longue à côté de la sienne. J'acceptai de bon cœur. Nous étions seuls. M. B... ôta ses lunettes, les posa et commença :

« Vous avez eu l'amabilité de me dire que vous étiez viennois et que vous vous souveniez du nom de ma famille. Cependant, je suppose que vous n'avez guère entendu parler de l'étude d'avocats que je dirigeais, avec mon père d'abord, puis tout seul. Car nous ne défendions pas de causes éclatantes, celles dont on parle dans les journaux, et nous ne cherchions pas à augmenter

1. Médiocre, moyen.

notre clientèle. En réalité, nous ne plaidions plus à proprement parler. Nous nous bornions à être des conseillers juridiques et à administrer les biens des grands couvents avec lesquels mon père, ancien député du parti clérical[2], avait des relations étroites. En outre – je puis vous le dire sans indiscrétion, puisque aujourd'hui la monarchie relève de l'histoire ancienne – quelques membres de la famille impériale nous avaient confié la gérance de leur fortune. Ces liens avec la cour et le clergé dataient de deux générations déjà – un de mes oncles était médecin de l'empereur, un autre abbé à Seitenstetten[3] – nous n'avions qu'à les maintenir. C'était là une activité tranquille, et je dirais discrète, vu la confiance qui nous était échue[4] par voie d'héritage et qui ne demandait, pour nous être conservée, qu'une extrême réserve[5] et une honnêteté éprouvée, deux qualités que feu[6] mon père possédait au plus haut degré. Il réussit, en effet, à garder à ses clients une partie considérable de leur fortune, malgré l'inflation[7] et la "révolution[8]". Lorsque ensuite Hitler arriva au pouvoir en Allemagne, et qu'il se mit à dépouiller l'Église et les couvents, diverses transactions et négociations se firent par notre moyen, de l'autre côté de la frontière, pour éviter au moins la saisie des biens mobiliers[9] de nos clients ; et à ce moment-là nous en savions plus, mon père et moi, sur certaines négociations politiques secrètes de Rome[10] et de la maison impériale, que le public n'en apprendra jamais. Mais précisément le caractère discret de notre bureau – il n'y avait même pas de plaque à notre porte – et la prudence avec laquelle nous évitions ostensiblement[11] tous deux les milieux

? A votre Avis

L'étude dirigée par M. B...

☐ défend les causes de célébrités ?

☐ gère les affaires d'anciens notables ?

☐ favorise l'intégration des nazis en Autriche ?

2. Parti social-chrétien, lié à l'aristocratie, au clergé et à la haute bourgeoisie.
3. Ville autrichienne.
4. Accordée.
5. Discrétion.
6. Décédé.
7. La hausse des prix.
8. Passage de l'Empire à la République.
9. Des actions boursières.
10. Du haut clergé.
11. De manière évidente.

1. Gênantes.
2. Nazis.
3. Oubliés.
4. Infiltrés.
5. Espions.
6. Employé.
7. À l'église.

monarchistes paraissaient nous mettre le plus à l'abri possible des enquêtes importunes[1]. Le fait est qu'aucune autorité, en Autriche, ne se douta jamais que, durant toutes ces années, de très importants documents et le courrier secret de la maison impériale passaient presque sans exception par l'insignifiante étude que nous avions, au quatrième étage d'une maison.

» Or les national-socialistes[2], bien avant de mettre sur pied leurs armées et de les lancer contre le monde, avaient organisé dans tous les pays voisins une autre légion, aussi dangereuse et bien entraînée, celle des laissés-pour-compte[3], des aigris et des mécontents. Ils s'étaient insinués[4] en installant leurs "cellules", comme ils disaient, dans chaque bureau, dans chaque entreprise, et avaient leurs postes d'espionnage et leurs mouchards[5] jusque dans le cabinet particulier de Dollfuss et de Schuschnigg. J'appris, hélas ! trop tard, qu'elles avaient leur homme aussi dans notre petite étude. Ce n'était, à vrai dire, qu'un pitoyable commis[6], très peu capable, que nous avions engagé sur la recommandation d'un curé, et simplement pour donner à notre bureau l'aspect d'une affaire ordinaire. Nous ne lui confiions rien d'autre que des courses inoffensives, le soin de répondre au téléphone et de ranger des documents, mais seulement ceux qui étaient insignifiants et sans aucune importance. Il n'était jamais autorisé à ouvrir le courrier, j'écrivais moi-même à la machine toutes les lettres importantes, sans en laisser de copie au bureau, j'emportais chez moi les documents de valeur, et donnais mes consultations secrètes exclusivement au prieuré[7] du couvent ou dans le cabinet de mon oncle.

Grâce à ces précautions, ce mouchard n'avait rien d'intéressant à épier au bureau. Il fallut un hasard malheureux pour que l'ambitieux individu s'aperçût qu'on se méfiait de lui et que toutes sortes d'affaires sérieuses se passaient derrière son dos. Peut-être en mon absence un messager imprudent a-t-il parlé de "Sa Majesté[8]" au lieu de l'appeler le "baron Bern", comme il était convenu, ou bien le gredin a-t-il ouvert des lettres, contrairement aux ordres reçus. Toujours est-il que Munich ou Berlin le chargea de nous surveiller, avant que j'en eusse le moindre soupçon. Ce n'est que beaucoup plus tard et longtemps après avoir été arrêté que je me rappelai le zèle subit[9] dont il avait fait preuve dans les derniers temps de son service chez nous, contrairement à sa nonchalance[10] du début, et l'insistance avec laquelle il m'avait offert, à plusieurs reprises, de mettre mon courrier à la poste. Il y eut donc de ma part une certaine imprévoyance, je l'avoue, mais combien de diplomates et d'officiers n'ont-ils pas été trompés par la perfidie[11] de la clique[12] hitlérienne ? J'eus bientôt une preuve tangible[13] de l'attention que me vouait depuis longtemps la Gestapo : le soir même où Schuschnigg annonçait sa démission, la veille du jour où Hitler entrait à Vienne[14], j'étais déjà arrêté par des hommes de la SS. J'avais par bonheur pu brûler les papiers les plus importants, sitôt après avoir entendu le discours d'adieu de Schuschnigg et, à la dernière minute, juste avant que les sbires[15] n'enfoncent ma porte, expédié à mon oncle dans une corbeille de linge, par l'intermédiaire de ma vieille et fidèle gouvernante, tous les papiers nécessaires à la reconnaissance des titres[16] que les couvents et deux archiducs possédaient à l'étranger. »

130

140

150

La Gestapo et la SS

Ces deux organisations policières furent créées par Hitler au service de son pouvoir absolu. La Gestapo était une redoutable police secrète d'État et la SS était la police militarisée du parti nazi, chargée de la « sécurité intérieure » puis, dès 1939, du contrôle des territoires occupés. ■

8. Charles Ier (1887-1922), dernier empereur de l'Empire austro-hongrois (1916-1918). Il dut s'exiler en 1919.
9. L'application soudaine.
10. Paresse.
11. Déloyauté, traîtrise.
12. Bande.
13. Évidente.
14. Le 13 mars 1938, les troupes de Hitler entrent à Vienne.
15. Brutes.
16. Titres de propriété d'actions boursières.

M. B... interrompit son récit pour allumer un cigare. À la vive lueur de la flamme, je remarquai qu'un tic nerveux, qui m'avait déjà frappé auparavant, en tordait le coin droit et revenait toutes les quelques minutes. Ce n'était qu'un mouvement fugitif[1], à peine perceptible, mais il donnait à tout son visage une expression étrangement inquiète.

« Vous vous figurez sans doute que je vais maintenant vous parler d'un de ces camps de concentration où furent conduits tant d'Autrichiens restés fidèles à notre vieux pays, et que je vais vous décrire toutes les humiliations et les tortures que j'y souffris. Mais il ne m'arriva rien de pareil. Je fus classé dans une autre catégorie. On ne me mit pas avec ces malheureux sur lesquels on se vengeait d'un long ressentiment par des humiliations physiques et psychiques[2], mais dans cet autre groupe beaucoup moins nombreux, dont les national-socialistes espéraient tirer de l'argent ou des renseignements importants. Ma modeste personne bien sûr ne présentait en elle-même aucun intérêt pour la Gestapo. Mais on devait avoir appris que nous avions été les hommes de paille[3], les administrateurs et les hommes de confiance de leurs adversaires les plus acharnés, et ce que l'on espérait obtenir de moi, c'étaient des renseignements. Des documents qu'on tournerait en preuves accablantes des transferts de fonds[4] réalisés par les couvents, des documents aussi contre la maison impériale et contre tous les Autrichiens fidèles et dévoués à la monarchie. On se disait, et non sans raison, en effet, que les fortunes passées entre nos mains avaient dû laisser de respectables restes dans quelque endroit inaccessible à leur cupidité.

1. Rapide.
2. Psychologiques.
3. Hommes qui servent de prête-noms.
4. Déplacements de sommes d'argent.

Aussi, on m'arrêta dès le premier jour, pour tenter de m'extorquer[5] ces secrets au moyen de méthodes dont on connaissait les excellents résultats. Les gens de cette catégorie dont on voulait tirer des renseignements ou de l'argent, n'étaient donc pas mis en camp de concentration, on leur réservait un sort spécial. Vous vous souvenez peut-être que ni notre chancelier[6] ni le baron Rothschild[7] – dont ils espéraient que les familles livreraient des millions – ne furent enfermés derrière des fils de fer barbelés, mais qu'on leur fit l'apparente faveur de les installer dans un hôtel, où ils eurent chacun leur chambre particulière. C'était l'hôtel *Metropole*, celui-là même où la Gestapo avait établi son quartier général. L'obscur personnage que je suis eut aussi cet honneur.

» Une chambre particulière dans un hôtel – peut-on rêver traitement plus humain, n'est-ce pas ? Et pourtant, croyez-moi, c'était pour nous appliquer une méthode plus raffinée[8], mais non pas plus humaine, qu'on nous logeait en "personnalités importantes" dans des chambres d'hôtel particulières et convenablement chauffées, plutôt que dans des baraques glacées et avec vingt personnes. Car la pression qu'on voulait exercer sur nous pour nous arracher les renseignements recherchés était d'une espèce plus subtile que celle des coups de bâton et des tortures corporelles : c'était l'isolement le plus raffiné qui se puisse imaginer. On ne nous faisait rien – on nous laissait seulement en face du néant[9], car il est notoire[10] qu'aucune chose au monde n'oppresse davantage l'âme humaine. En créant autour de chacun de nous un vide complet, en nous confinant[11] dans une chambre hermétiquement fermée au monde extérieur,

5. Me soutirer.
6. Schuschnigg.
7. Puissant financier.
8. Subtile, recherchée (emploi ironique).
9. Vide absolu.
10. Reconnu.
11. Enfermant.

on usait d'un moyen de pression qui devait nous desserrer les lèvres, de l'intérieur, plus sûrement que les coups et le froid. Au premier abord, la chambre qu'on m'assigna[1] n'avait rien d'inconfortable. Elle possédait une porte, un lit, une chaise, une cuvette, une fenêtre grillagée. Mais la porte demeurait verrouillée nuit et jour, il m'était interdit d'avoir un livre, un journal, du papier ou un crayon. Et la fenêtre s'ouvrait sur un mur coupe-feu. Autour de moi, c'était le néant, j'y étais tout entier plongé. On m'avait pris ma montre, afin que je ne mesure plus le temps, mon crayon, afin que je ne puisse plus écrire, mon couteau, afin que je ne m'ouvre pas les veines ; on me refusa même la légère griserie[2] d'une cigarette. Je ne voyais jamais aucune figure humaine, sauf celle du gardien, qui avait ordre de ne pas m'adresser la parole et de ne répondre à aucune question. Je n'entendais jamais une voix humaine. Jour et nuit, les yeux, les oreilles, tous les sens ne trouvaient pas le moindre aliment, on restait seul, désespérément seul en face de soi-même, avec son corps et quatre ou cinq objets muets : la table, le lit, la fenêtre, la cuvette. On vivait comme le plongeur sous sa cloche de verre, dans ce noir océan de silence, mais un plongeur qui pressent[3] déjà que la corde qui le reliait au monde s'est rompue et qu'on ne le remontera jamais de ces profondeurs muettes. On n'avait rien à faire, rien à entendre, rien à voir, autour de soi régnait le néant vertigineux, un vide sans dimensions dans l'espace et dans le temps. On allait et venait dans sa chambre, avec des pensées qui vous trottaient et vous venaient dans la tête, sans trêve, suivant le même mouvement. Mais, si dépourvues de matière

1. M'attribua.
2. Ivresse.
3. Devine.

qu'elles paraissent, les pensées aussi ont besoin d'un point d'appui, faute de quoi elles se mettent à tourner sur elles-mêmes dans une ronde folle. Elles ne supportent pas le néant, elles non plus. On attendait quelque chose du matin au soir, mais il n'arrivait rien. On attendait, recommençait à attendre. Il n'arrivait rien. À attendre, attendre et attendre, les pensées tournaient, tournaient dans votre tête, jusqu'à ce que les tempes vous fassent mal. Il n'arrivait toujours rien. On restait seul. Seul. Seul.

» Cela dura quinze jours, pendant lesquels je vécus hors du temps, hors du monde. La guerre eût éclaté que je n'en aurais rien su. Le monde ne se composait plus pour moi que d'une table, d'une porte, d'un lit, d'une chaise, d'une cuvette, d'une fenêtre et de quatre murs sur lesquels je regardais fixement le même papier. Chaque ligne de son dessin mouvementé s'est gravée comme au burin[4] dans les replis de mon cerveau, tant je l'ai regardé. Enfin commencèrent les interrogatoires. On était appelé brusquement, sans bien savoir si c'était la nuit ou le jour. On vous conduisait à travers des corridors[5], on ne savait pas où. On attendait ensuite quelque part, sans savoir où on était, puis on se trouvait tout à coup devant une table autour de laquelle étaient assis quelques personnages en uniforme. Sur la table, il y avait une liasse de papiers, un dossier dont on ne savait ce qu'il contenait, et aussitôt commençaient les questions, les franches et les perfides, celles qui en cachent d'autres, celles qui cherchent à vous prendre au piège. Pendant que vous répondiez, des mains étrangères et hostiles feuilletaient ces papiers dont vous ne

4. Outil pour sculpter.
5. Couloirs.

saviez ce qu'ils contenaient, des doigts étrangers et hostiles griffonnaient un procès-verbal[1] sans que vous sachiez ce qu'ils écrivaient. Mais le plus redoutable pour moi dans ces interrogatoires, c'était de ne jamais pouvoir deviner ce que, grâce à son espionnage, la Gestapo connaissait réellement de la marche de mes affaires, et ce qu'elle voulait apprendre de moi. Comme je vous l'ai dit, j'avais expédié à mon oncle, à la dernière minute et par l'intermédiaire de ma gouvernante, les documents les plus compromettants. Mais les avait-il reçus ? Ne les avait-il pas reçus ? Et jusqu'à quel point mon employé m'avait-il trahi ? Qu'avait-on pu saisir de mes lettres, qu'avait-on tiré, peut-être déjà, d'un pauvre prêtre, habilement interrogé dans l'un des couvents que nous représentions ? On me questionnait, on me questionnait. Quels titres avais-je achetés pour ce couvent ? Avec quelle banque étais-je en correspondance ? Connaissais-je Monsieur Un tel ? Recevais-je des lettres de Suisse et de Steenockerzeel[2] ? Et comme je ne pouvais me faire une idée exacte de ce qu'on savait déjà, chacune de mes réponses comportait une écrasante responsabilité. Si je reconnaissais quelque chose qu'on ne savait pas, j'envoyais peut-être quelqu'un à la mort ; si j'en taisais trop, je me nuisais à moi-même.

» L'interrogatoire n'était pourtant pas le pire. Le pire c'était le retour à ce néant, juste après, dans cette même chambre, devant cette même table, ce même lit, cette même cuvette, ce même papier au mur. Car à peine étais-je seul avec mes pensées, que je me mettais à refaire l'interrogatoire, à songer à ce que j'aurais dû répondre de plus habile, à ce que je devrais dire la pro-

1. Constat.
2. Ville belge.
À cette période,
la Belgique et la Suisse
étaient restées neutres.

chaine fois pour écarter le soupçon que j'avais peut-être éveillé par une remarque inconsidérée. J'examinais, je creusais, je sondais[3], je contrôlais chacune de mes dépositions, je repassais chaque question posée, chaque réponse donnée, j'essayais d'apprécier[4] ce que leur procès-verbal pouvait avoir enregistré, tout en sachant bien que je n'y parviendrais jamais. Mais ces pensées une fois mises en branle[5] dans cet espace vide, elles tournaient, tournaient dans ma tête, faisant sans cesse entre elles de nouvelles combinaisons et me poursuivant jusque dans mon sommeil. Ainsi, une fois fini l'interrogatoire de la Gestapo, mon propre esprit prolongeait inexorablement[6] son tourment avec autant ou peut-être même plus de cruauté que les juges, qui levaient l'audience[7] au bout d'une heure, tandis que dans ma chambre cette affreuse solitude rendait ma torture interminable. Autour de moi, jamais rien d'autre que la table, l'armoire, le lit, le papier peint, la fenêtre. Aucune distraction, pas de livre, pas de journal, pas d'autre visage que le mien, pas de crayon qui m'eût permis de prendre des notes, pas une allumette pour jouer, rien, rien, rien. Oui, il fallait un génie diabolique, un tueur d'âme pour inventer ce système de la chambre d'hôtel. Dans un camp de concentration, il m'eût fallu sans doute charrier[8] des cailloux, jusqu'à ce que mes mains saignent et que mes pieds gèlent dans mes chaussures, j'eusse été parqué avec vingt-cinq autres dans le froid et la puanteur. Mais du moins, j'aurais vu des visages, j'aurais pu regarder un champ, une brouette, un arbre, une étoile, quelque chose enfin qui change, au lieu de cette chambre immuable[9], si horriblement semblable à

320

330

340

3. J'explorais.
4. De deviner.
5. En mouvement.
6. Implacablement, cruellement.
7. La séance d'interrogatoire.
8. Transporter.
9. Toujours identique.

elle-même dans son immobile fixité. Là, rien qui puisse me distraire de mes pensées, de mes folles imaginations, de mes récapitulations[1] maladives. Et c'était justement ce qu'ils voulaient – me faire ressasser mes pensées jusqu'à ce qu'elles m'étouffent et que je ne puisse faire autrement que de les cracher, pour ainsi dire, d'avouer, d'avouer tout ce qu'ils voulaient, livrant ainsi mes amis et les renseignements désirés. Je sentais que mes nerfs,

350 peu à peu, commençaient à se relâcher sous cette atroce pression du néant, et je me raidissais jusqu'à la limite de mes forces pour trouver, ou pour inventer une diversion. En guise d'occupation, je récitais ou reconstituais tant bien que mal tout ce que j'avais appris par cœur autrefois, chants populaires et rimes enfantines, passages d'Homère[2] appris au lycée, paragraphes du Code civil. Puis j'essayais de faire des calculs, d'additionner, de diviser des nombres quelconques. Mais dans ce vide, ma mémoire ne retenait rien. Je ne pouvais me concentrer

360 sur rien. La même pensée se glissait partout : que savent-ils ? Qu'ai-je dit hier, que dois-je dire la prochaine fois ?

 » Je vécus quatre mois dans ces conditions indescriptibles. Quatre mois, c'est vite écrit et c'est vite dit. Un quart de seconde suffit à articuler ces trois syllabes : quatre mois. Quelques caractères suffisent à les noter. Mais comment peindre, comment exprimer, fût-ce pour soi-même, une vie qui s'écoule hors de l'espace et du temps ? Personne ne dira jamais comment vous ronge et

370 vous détruit ce vide inexorable, de quelle manière agit sur vous la vue de cette perpétuelle table et de ce lit, de cette perpétuelle cuvette et de ce papier au mur, ce

1. Répétitions.
2. Poète grec, auteur supposé de l'*Iliade* et de l'*Odyssée* (VIIIe s. av. J.-C.).

silence auquel on vous réduit, l'attitude de ce gardien, toujours le même, et qui pose la nourriture devant son prisonnier sans lui jeter un regard. Des pensées, toujours les mêmes, tournent dans le vide autour de ce solitaire jusqu'à ce qu'il devienne fou. À de petits signes inquiétants, je connus[3] que mon cerveau se détraquait. Au début, j'avais la tête claire durant les audiences, et je faisais des dépositions[4] calmes et réfléchies ; je triais parfaitement dans mon esprit ce qu'il fallait dire et ce qu'il ne fallait pas dire. Maintenant, je n'articulais plus même une phrase toute simple sans bégayer, car tout en la prononçant, je fixais, hypnotisé, la plume du greffier[5] qui courait sur le papier, comme si je voulais courir après mes propres paroles. Je sentais que mes forces diminuaient et qu'approchait le moment où, dans l'espoir de me sauver, je dirais tout ce que je savais et peut-être davantage encore, où pour échapper à l'emprise mortelle de ce néant, je trahirais douze hommes et leurs secrets, dussé-je n'y gagner qu'un instant de répit. J'en étais là, un certain soir. Le gardien m'apporta justement alors à manger, et je lui criai, en suffoquant, au moment où il s'en allait : "Conduisez-moi à l'interrogatoire ! Je dirai tout ! Je dirai où sont les papiers, où est l'argent ! Je dirai tout, tout !" Par bonheur, il n'entendit pas. Peut-être aussi ne voulut-il pas entendre.

» J'en étais réduit à cette extrémité[6], quand se produisit un événement inattendu, qui devait être mon salut[7], du moins pour un certain temps. C'était un jour sombre et maussade[8] de la fin de juillet. Je me souviens très bien de ce détail parce que la pluie tambourinait sur les vitres, le long du couloir par lequel on m'emmenait à

380

390

400

3. Je compris.
4. Déclarations.
5. De l'assistant du juge.
6. J'étais arrivé à cette situation extrême.
7. Me sauver.
8. Triste.

l'interrogatoire. On me fit attendre dans l'antichambre du juge d'instruction. Il fallait toujours attendre avant de comparaître, cela faisait partie de la méthode. On commençait par ébranler les nerfs de l'inculpé en l'envoyant chercher brusquement au milieu de la nuit, puis lorsqu'il s'était ressaisi, bandant[1] toutes ses énergies en vue de l'audience, on le faisait attendre : attendre absurdement une heure, deux heures, trois heures avant de l'interroger, pour le mater corps et âme. Je restai debout dans cette salle d'attente deux bonnes heures durant, ce jeudi 27 juillet ; et voici pourquoi je me rappelle si précisément cette date : il y avait un calendrier suspendu au mur, et tandis que les jambes me rentraient dans le corps, à force d'être debout – il était, bien entendu, interdit de s'asseoir – je dévorais des yeux, dans une soif de lecture que je ne peux pas vous décrire, ce chiffre et ce petit mot, "27 juillet", qui se détachaient contre la paroi, car je les incorporais quasiment à ma matière grise.

» Puis je me remis à attendre, à regarder la porte, à me demander quand elle s'ouvrirait enfin, à réfléchir à ce que les inquisiteurs me demanderaient cette fois, tout en sachant bien qu'ils ne me poseraient pas les questions auxquelles je me préparais. Malgré l'anxiété de cette attente, malgré la fatigue qu'elle me causait, c'était encore un soulagement d'être ainsi dans une autre chambre que la mienne, une chambre un peu plus grande, éclairée de deux fenêtres au lieu d'une, sans lit et sans cuvette, où l'appui de fenêtre ne présentait pas certaine fente que j'avais remarquée des millions de fois dans la mienne. La porte avait un vernis

410

420

430

L'Inquisition

Cet organisme judiciaire de l'Église catholique fut chargé du XIIIᵉ au XVIᵉ siècles de réprimer toute doctrine ou opinion contraire au catholicisme, les hérésies. Les inquisiteurs étaient les membres de ce tribunal barbare qui recourait volontiers à la torture. Ici, l'emploi de ce mot éclaire le caractère inhumain des « enquêteurs » qui interrogent M. B. ■

1. Rassemblant.

différent, la chaise aussi devant le mur était autre ; à gauche, il y avait une armoire pleine de dossiers, et un vestiaire avec des patères[2] auxquelles pendaient trois ou quatre manteaux militaires mouillés, les manteaux de mes bourreaux. Ainsi, j'avais des objets nouveaux à regarder, à examiner – enfin du nouveau – et mes yeux frustrés[3] se cramponnaient avidement au moindre détail. Je considérais chaque pli de ces manteaux, et je remarquai, par exemple, une goutte de pluie au bord d'un col mouillé. J'attendis avec une émotion insensée (cela va vous paraître ridicule) de voir si elle allait couler le long du pli ou se défendre encore contre la pesanteur et s'accrocher plus longtemps – oui, je fixai, haletant, cette goutte pendant plusieurs minutes, comme si ma vie en dépendait. Et lorsqu'elle fut enfin tombée, je me mis à compter les boutons sur chaque manteau, huit au premier, huit au second et dix au troisième ; puis je comparai les parements[4] entre eux. Mes yeux buvaient tous ces détails stupides et insignifiants, ils s'en repaissaient[5] et s'en délectaient[6] avec une passion que je ne puis exprimer par des mots. Et soudain, ils s'arrêtèrent net. J'avais découvert quelque chose qui gonflait sur le côté la poche de l'un des manteaux. Je m'approchai et crus reconnaître, à travers l'étoffe tendue, le format rectangulaire d'un livre. Un livre ! Mes genoux se mirent à trembler : un *livre* ! Il y avait quatre mois que je n'en avais pas tenu dans ma main, et sa simple représentation m'éblouissait. Un livre dans lequel je verrais des mots alignés les uns à côté des autres, des lignes, des pages, des feuillets que je pourrais tourner. Un livre où je pourrais suivre d'autres pensées, des pensées neuves qui

2. Portemanteaux.
3. Privés de satisfaction.
4. Revers sur le col.
5. Rassasiaient.
6. Régalaient.

me détourneraient de la mienne, et que je pourrais garder dans ma tête, quelle trouvaille enivrante et calmante
à la fois ! Mes regards se fixaient, hypnotisés, sur cette
poche gonflée où se dessinait la forme du livre, ils étaient
470 aussi brûlants en regardant cet endroit banal, que s'ils
voulaient faire un trou dans le manteau. Je n'y tins plus,
et sans le vouloir, je m'approchai encore. À la seule idée
de palper un livre, fût-ce à travers une étoffe, les doigts
me brûlaient jusqu'au bout des ongles. Presque sans le
savoir, je me rapprochais toujours davantage. Le gardien
ne prêtait heureusement aucune attention à mon
étrange conduite. Peut-être trouvait-il simplement natu-
rel qu'un homme veuille s'appuyer un peu à la paroi,
après être resté deux heures debout. Je finis par arriver
480 près du manteau, et je mis mes mains derrière mon dos
pour pouvoir le toucher subrepticement[1]. Je tâtai l'étoffe
et y sentis en effet un objet rectangulaire, qui était souple
et craquait un peu – un livre ! C'était bien un livre !
comme l'éclair, la pensée jaillit dans mon cerveau :
essaie de le voler ! Peut-être réussiras-tu, et alors tu pour-
ras le cacher dans ta cellule et lire, lire, lire enfin, lire de
nouveau ! À peine cette pensée m'était-elle venue qu'elle
agit sur moi comme un violent poison ; mes oreilles se
mirent à bourdonner, le cœur me battit, mes mains gla-
490 cées ne m'obéirent plus. Cependant, la première stupeur
passée, je me serrai astucieusement contre le manteau et,
tout en gardant les yeux fixés sur le gardien, je fis peu à
peu remonter le livre hors de la poche. Hop ! Je le saisis
avec adresse et précaution et je tins soudain dans ma
main un petit volume assez mince. Alors seulement, je
fus effrayé de ce que je venais de faire. Mais je ne pou-

1. Sans être vu.

vais plus reculer. Où le mettre maintenant ? Toujours derrière mon dos, je glissai le livre dans mon pantalon, sous la ceinture, et de là tout doucement jusque sur la hanche, de manière à pouvoir le tenir en marchant, la main sur la couture du pantalon comme il se doit militairement. Il s'agissait, à présent, de mettre ma ruse à l'épreuve. Je m'écartai du vestiaire, je fis un pas, deux pas, trois pas. Cela allait. Je parvenais à maintenir le livre à sa place en marchant, si je gardais le bras bien collé au corps, à l'endroit de la ceinture.

» Vint alors l'interrogatoire. Il exigea de moi un plus gros effort que jamais, car toute mon attention se concentrait sur le livre et sur la façon dont je le tenais, plutôt que sur ma déposition. Par bonheur, l'audience fut courte ce jour-là et je rapportai le livre sain et sauf dans ma chambre. Je vous fais grâce des détails[2], il glissa bien une fois fort dangereusement à l'intérieur de mon pantalon pendant que je longeais le couloir, et il me fallut simuler un violent accès de toux pour me courber en deux et le repousser discrètement sous ma ceinture. Mais quel instant inoubliable que celui où je me retrouvai dans mon enfer, enfin seul, et cependant en cette précieuse compagnie.

» Vous vous imaginez sans doute que j'ai immédiatement tiré le livre de sa cachette pour le contempler et le lire. Je n'en fis rien. Je voulus d'abord savourer toute la joie que me donnait la seule présence de ce livre, et je retardai à dessein[3] le moment de le voir, pour le plaisir excitant de rêver en me demandant quelle sorte de livre je voulais que ce fût : surtout, imprimé très serré, avec le plus de texte possible, des feuillets très, très fins, afin que

2. Je vous épargne les détails.
3. Volontairement.

j'aie plus longtemps à lire. J'espérais aussi que ce serait une œuvre difficile, qui demanderait un gros effort intellectuel, rien de médiocre, quelque chose qui puisse s'apprendre, qui se puisse apprendre par cœur, de la poésie, et de préférence – quel rêve téméraire[1] ! – Goethe[2] ou Homère. Enfin, je ne contins plus mon désir et ma curiosité. Étendu sur mon lit, de façon que le gardien, s'il entrait tout à coup, ne puisse me surprendre, je tirai en tremblant le livre de sous ma ceinture.

» Au premier coup d'œil, je fus dépité[3] et amèrement déçu : ce livre que j'avais escamoté[4] au prix des plus grands dangers, ce livre qui avait éveillé en moi de si brûlants espoirs, n'était qu'un manuel d'échecs, une collection de cent cinquante parties jouées par des maîtres. N'eussé-je pas été enfermé et verrouillé, j'aurais, dans ma colère, jeté le livre par la fenêtre, car au nom du ciel, que pouvais-je tirer de cette absurdité ? Au temps où j'étais au lycée, j'avais essayé, comme la plupart de mes camarades, de déplacer des pions sur un échiquier, les jours où je m'ennuyais. Mais comment me servir de cet ouvrage théorique ? On ne peut jouer aux échecs sans partenaire, encore bien moins sans échiquier et sans pièces. Je feuilletai le volume avec mauvaise humeur, dans l'espoir d'y découvrir tout de même quelque chose à lire, un avant-propos, des instructions. Mais il ne contenait que les diagrammes[5] tout secs, dans des encadrés, de parties célèbres, avec au-dessous, des signes qui me furent d'abord incompréhensibles : a2-a3, f1-g3, et ainsi de suite. C'était, me semblait-il, une sorte d'algèbre[6], dont je n'avais pas la clé. Mais peu à peu, je compris que les lettres a, b, c, désignaient

1. Audacieux.
2. Écrivain allemand (1749-1832).
3. Contrarié.
4. Volé.
5. Schémas.
6. Théorie mathématique complexe.

les lignes longitudinales[7], les chiffres de 1 à 8, les transversales[8], et que ces coordonnées permettaient d'établir la position de chaque pièce au cours de la partie ; ces représentations purement graphiques étaient donc une manière de langage. Je pourrais peut-être, me dis-je, fabriquer ici, dans ma cellule, une espèce d'échiquier et essayer ensuite de jouer ces parties. Grâce au ciel, je m'avisai que mon drap de lit était grossièrement quadrillé. Plié avec soin, il finit par faire un damier de soixante-quatre cases. Je cachai alors le livre sous le matelas, après en avoir arraché la première page. Puis je prélevai un peu de mie sur ma ration de pain et j'y modelai des pièces, un roi, une reine, un fou et toutes les autres. Elles étaient bien informes, mais je parvins, non sans peine, à reproduire sur mon drap de lit quadrillé les positions que présentait le manuel. Néanmoins, lorsque je tentai de jouer une partie entière, j'échouai d'abord les premiers jours, à cause de mes ridicules pièces en mie de pain que j'embrouillais continuellement, parce que je n'avais pu mettre sur les « noires » que de la poussière en guise de peinture. Cinq fois, dix fois, vingt fois, je dus recommencer cette première partie. Mais qui au monde disposait de plus de temps que moi, dans cet esclavage où me tenait le néant, qui donc aurait pu être plus avide[9] et plus patient ? Au bout de six jours, je jouais déjà correctement cette partie ; huit jours après, je n'avais plus besoin des pièces en mie de pain pour me représenter les positions respectives des adversaires sur l'échiquier. Huit jours encore, et je supprimais le drap quadrillé. Les signes a1, a2, c7, c8 qui m'avaient paru si abstraits au début se concrétisaient à présent automati-

7. Horizontales.
8. Verticales.
9. Désireux de parvenir à son but.

quement dans ma tête en images visuelles. La transposi-
tion était complète : l'échiquier et ses pièces se proje-
taient dans mon esprit et les formules du livre y figu-
raient immédiatement des positions. J'étais comme un
musicien exercé qui n'a qu'un coup d'œil à jeter sur une
partition pour entendre aussitôt les thèmes et les harmo-
nies qu'elle contient. Il me fallut encore quinze jours
pour être en état de jouer de mémoire – ou, selon la for-
mule consacrée, à l'aveugle – toutes les parties d'échecs
exposées dans le traité ; je compris alors quel inappré-
ciable bienfait ce vol audacieux m'avait valu. Car
j'avais maintenant une activité, absurde ou stérile si
vous voulez, mais une activité tout de même, qui détrui-
sait l'empire[1] du néant sur mon âme. Je possédais, avec
ces cent cinquante parties d'échecs, une arme merveil-
leuse contre l'étouffante monotonie de l'espace et du
temps. Pour conserver son charme à ma nouvelle occupation, je partageai désormais méthodiquement ma
journée : deux parties le matin, deux parties l'après-
midi, et le soir une brève révision des quatre. Ainsi, mon
temps était rempli, au lieu de se traîner avec l'inconsis-
tance de la gélatine, et j'étais occupé sans excès, car le
jeu d'échecs possède cette remarquable propriété de ne
pas fatiguer l'esprit et d'augmenter bien plutôt sa sou-
plesse et sa vivacité. Cela vient de ce qu'en y jouant, on
concentre toutes ses énergies intellectuelles sur un
champ très étroit, même quand les problèmes sont
ardus[2]. J'avais d'abord suivi mécaniquement les indications du livre en reproduisant les parties célèbres, mais
peu à peu cela devint pour moi un jeu de l'intelligence
auquel je me plaisais beaucoup. J'appris les finesses, les

1. La domination.
2. Difficiles.

ruses subtiles de l'attaque et de la défense, je saisis la technique de l'anticipation, de la combinaison et de la riposte. Bientôt, je fus capable de reconnaître la manière caractéristique de chacun des joueurs célèbres, aussi sûrement qu'on reconnaît un poète à quelques vers d'une de ses œuvres. Ce qui n'avait été d'abord qu'une manière de tuer le temps devint un véritable amusement, et les figures des grands joueurs d'échecs, Aljechin, Lasker, Bogoljubow, Tartakower, vinrent, tels de chers camarades, peupler ma solitude. La variété anima désormais ma cellule muette, et la régularité de ces exercices rendit leur assurance à mes facultés intellectuelles. Cette discipline d'esprit très exacte leur donna même une acuité[3] nouvelle, dont les interrogatoires bénéficièrent les premiers ; sans le savoir, j'avais sur l'échiquier amélioré ma défense contre les menaces feintes et les détours perfides. Dès lors, je n'eus plus aucune défaillance devant mes juges et il me sembla que les hommes de la Gestapo commençaient à me regarder avec un certain respect. Peut-être se demandaient-ils par-devers eux[4] où je puisais la force de résister si fermement, quand ils voyaient tous les autres s'effondrer.

» Ce temps heureux où je refis systématiquement les cent cinquante parties du manuel dura environ trois mois. Là, parvenu au point mort[5], je me retrouvai brusquement à nouveau devant le néant. Car une partie jouée vingt ou trente fois n'avait plus l'attrait de la nouveauté ; sa vertu[6] était épuisée pour moi. Quel sens cela avait-il de répéter sans cesse les parties, quand je savais chaque coup par cœur ? L'ouverture[7] déclenchait automatiquement les suivants, il n'y avait plus de surprise,

630

640

650

3. Profondeur.
4. En eux-mêmes.
5. Moment où la situation n'évolue plus.
6. Son efficacité.
7. Les premiers coups.

plus d'émotion, plus de problème. Pour m'occuper, pour me rendre cet effort et ce divertissement dont je ne pouvais plus me passer, il eût fallu un second volume, avec d'autres modèles. Comme c'était tout à fait exclu, il ne restait qu'une issue dans cette direction aberrante[1] : je devais inventer d'autres parties que j'essayerais de jouer avec moi-même ou plutôt contre moi-même.

» Eh ! bien je ne sais pas jusqu'à quel point vous avez réfléchi à l'état d'esprit où vous plonge ce roi des jeux. Mais il suffit d'une seconde pour faire comprendre que, le hasard n'y ayant aucune part, c'est une absurdité de vouloir jouer contre soi-même. L'attrait du jeu d'échecs réside tout entier en ceci que deux cerveaux s'y affrontent, chacun avec sa tactique. L'intérêt de cette bataille intellectuelle vient de ce que les noirs ne savent pas comment vont manœuvrer les blancs, et qu'ils cherchent sans cesse à deviner leurs intentions pour les contrecarrer[2] tandis que, de leur côté, les blancs essaient de percer à jour[3] les secrètes intentions des noirs et de les déjouer[4]. Si donc les deux camps sont représentés par la même personne, la situation devient contradictoire. Comment un seul et même cerveau pourrait-il à la fois savoir et ne pas savoir quel but il se propose, et, en jouant avec les blancs, oublier sur commande son intention et ses plans, faits la minute précédente avec les noirs ? Un pareil dédoublement de la pensée suppose un dédoublement complet de la conscience, une capacité d'isoler à volonté certaines fonctions du cerveau, comme s'il s'agissait d'un appareil mécanique. Vouloir jouer aux échecs contre soi-même est donc aussi paradoxal[5] que vouloir marcher sur son ombre.

? A votre Avis

Pourquoi rejouer les parties du manuel d'échecs n'a-t-il plus d'intérêt pour M. B. ?

▢ Il connaît les parties par cœur.
▢ Ces parties sont trop difficiles.
▢ Il est dégoûté du jeu d'échecs.

660

670

680

1. Absurde.
2. Contrer.
3. Découvrir.
4. Faire échouer.
5. Contradictoire.

» Eh ! bien, pour me résumer, pendant des semaines, c'est à cette absurdité, à cette chose impossible que le désespoir me fit tendre[6], pendant des mois. Mais je n'avais pas le choix, pour échapper à la folie et à la totale décrépitude[7] de mon esprit. Mon atroce situation m'obligeait à tenter ce dédoublement de mon esprit entre un moi blanc et un moi noir, si je ne voulais pas être écrasé par le néant horrible qui me cernait de toutes parts. »

690

M. B… se renversa sur sa chaise longue et ferma les yeux un instant. On eût dit qu'il chassait avec effort un souvenir importun[8]. De nouveau, au coin gauche de sa bouche, reparut l'étrange crispation qu'il ne pouvait réprimer. Puis il se redressa et poursuivit :

« Voilà – jusqu'ici, j'espère que mon récit a été assez clair. Je ne sais, malheureusement, si la suite pourra l'être autant. Car ma nouvelle occupation demandait une telle tension d'esprit qu'elle rendait tout contrôle sur moi-même impossible. Je vous ai déjà dit qu'à mon avis, vouloir jouer aux échecs contre soi-même est déjà une idée absurde ; mais j'aurais eu, peut-être, une chance minime de m'en sortir si je m'étais trouvé devant un véritable échiquier qui m'eût permis, en quelque sorte, de prendre une certaine distance, de projeter les choses dans l'espace. Devant un vrai échiquier, avec de vraies pièces à déplacer, on peut donner un rythme à ses réflexions, se transporter physiquement d'un côté de la table à l'autre, et considérer ainsi la situation tantôt du point de vue des noirs, tantôt de celui des blancs. Mais contraint que j'étais de livrer des combats contre moi-même ou, si vous préférez, contre un moi que je projetais dans un espace imaginaire, il fallait que je me

700

710

6. Poursuivre.
7. Déchéance.
8. Dérangeant.

représente mentalement et que je retienne les positions successives des pièces, les possibilités ultérieures[1] de chacun des partenaires et – si absurde que cela paraisse – que je voie toujours distinctement en esprit, deux ou trois, non plutôt six, huit, douze positions différentes afin de calculer quatre ou cinq coups d'avance pour les blancs et les noirs que j'étais seul à représenter. Pour ce jeu mené dans un espace abstrait, imaginaire... pardonnez-moi de vous entraîner dans ces aberrations[2]..., mon cerveau se partageait, si je puis dire, en cerveau blanc et cerveau noir, pour y combiner à l'avance les quatre ou cinq coups qu'exigeait, dans les deux camps, la tactique. Et le plus dangereux de cette expérience abstruse[3] n'était pas encore cette division de ma pensée à l'intérieur de moi-même, mais le fait que tout se passait en imagination : je risquais ainsi de perdre pied brusquement et de glisser dans l'abîme[4]. Lorsque, auparavant, les semaines précédentes, je refaisais les parties célèbres du manuel, je n'exécutais qu'une copie, pure répétition d'un modèle donné, et l'exercice ne demandait pas plus de force que la mémorisation d'une pièce de vers[5] ou d'un paragraphe du Code[6]. C'était une activité limitée, disciplinée, une gymnastique mentale remarquable. Deux parties le matin, deux l'après-midi, je m'acquittais de[7] cette sorte de pensum[8] sans aucune excitation ; elles me tenaient lieu d'occupation normale et si je me trompais, si j'hésitais au cours d'une partie, le traité me prêtait son appui. Si cette activité m'avait été salutaire[9] et plutôt apaisante, c'est que je n'y étais pas moi-même en jeu. Il m'était indifférent que la victoire revînt aux noirs plutôt qu'aux blancs, c'était l'affaire d'Aljechin ou de

1. Futures.
2. Absurdités.
3. Obscure, difficile à comprendre.
4. Le gouffre.
5. Un poème.
6. Code civil ou ensemble des lois.
7. J'accomplissais.
8. Tâche pénible et obligatoire.
9. Bénéfique.

Le paquebot *Farewells*

Photographie, 1903.

I

Dossier images

Le Joueur d'échecs

Daumier, huile sur toile
(24,8 cm × 32 cm), 1863.

II

→ Du texte à l'image p. 86

Le Désespéré (autoportrait)

Gustave Courbet, huile sur toile
(45 cm × 54 cm), 1841.

Dossier images

IV

La Partie d'échecs

Vieira da Silva, huile sur toile
(81 cm × 100 cm), 1943.

Bogoljubow, qui briguaient[10] l'honneur d'être champions, et le plaisir que j'éprouvais par l'intelligence et la sensibilité était celui du spectateur, du connaisseur qui apprécie les péripéties du combat et sa beauté. Dès le moment où je cherchai à jouer contre moi-même, je me mis inconsciemment au défi. Le noir que j'étais rivalisait avec le blanc que j'étais aussi, et chacun d'eux devenait avide et impatient en voulant gagner. La pensée de ce que je ferais en jouant avec les blancs me donnait la fièvre quand je jouais avec les noirs. L'un des deux adversaires qui étaient en moi triomphait et s'irritait à la fois quand l'autre commettait une erreur ou manquait d'astuce.

» Tout cela paraît dépourvu de sens, et le serait en effet s'il s'agissait d'un homme normal vivant dans des conditions normales. Quelle histoire inimaginable qu'une schizophrénie[11] aussi artificielle, quel inconcevable dédoublement de la personnalité ! Mais n'oubliez pas que j'avais été violemment arraché à mon cadre habituel, que j'étais un captif innocent, tourmenté avec raffinement depuis des mois par la solitude, un homme en qui la colère s'était accumulée sans qu'il pût la décharger sur rien ni sur personne. Aucune diversion ne s'offrant, excepté ce jeu absurde contre moi-même, ma rage et mon désir de vengeance s'y déversèrent furieusement. Il y avait un homme en moi qui voulait à tout prix avoir raison, mais il ne pouvait s'en prendre qu'à cet autre moi contre qui je jouais ; aussi ces parties d'échecs me causaient-elles une excitation presque maniaque[12]. Au début, j'étais encore capable de jouer avec calme et réflexion, je faisais une pause entre les parties pour me détendre un peu. Mais bientôt, mes

10. Recherchaient.
11. Maladie mentale qui se caractérise par la perte de contact avec la réalité.
12. Folle.

nerfs irrités ne me laissèrent plus de répit. À peine avais-je joué avec les blancs que les noirs se dressaient devant moi, frémissants. À peine une partie était-elle finie qu'une moitié de moi-même recommençait à défier l'autre, car je portais toujours en moi un vaincu qui réclamait sa revanche. Jamais je ne pourrai dire, même à peu près, combien de parties j'ai jouées ainsi pendant les derniers mois dans ma cellule, poussé par mon insatiable égarement[1] – peut-être mille – peut-être davantage. J'étais possédé, et je ne pouvais m'en défendre ; du matin au soir, je ne voyais que pions, tours, rois et fous, je n'avais en tête que a, b et c, que mat et roque[2]. Tout mon être, toute ma sensibilité se concentraient sur les cases d'un échiquier imaginaire. La joie que j'avais à jouer était devenue un désir violent, le désir une contrainte, une manie[3], une fureur frénétique[4] qui envahissait mes jours et mes nuits. Je ne pensais plus qu'échecs, problèmes d'échecs, déplacement des pièces. Souvent, m'éveillant le front en sueur, je m'apercevais que j'avais continué à jouer en dormant. Si des figures humaines paraissaient dans mes rêves, elles se mouvaient uniquement à la manière de la tour, du cavalier, du fou. À l'audience aussi, je ne parvenais plus à me concentrer sur ce qui engageait ma responsabilité ; j'ai l'impression de m'être exprimé assez obscurément les dernières fois que je comparus, car les juges se jetaient des regards étonnés. En réalité, tandis qu'ils menaient leur enquête et leurs délibérations, je n'attendais dans ma passion avide que le moment d'être reconduit dans ma cellule pour y reprendre mon jeu, mon jeu de fou. Une autre partie, et encore une… Toute interrup-

1. Infini délire.
2. Coup consistant à déplacer simultanément le roi et la tour, sous certaines conditions.
3. Obsession.
4. Rage violente.

tion me tourmentait dans mon impatience fébrile[5], jusqu'au quart d'heure pendant lequel le gardien balayait la chambre, jusqu'aux deux minutes qu'il lui fallait pour m'apporter à manger ; parfois, mon repas était encore intact le soir dans son écuelle, car j'en oubliais de manger. Je n'avais qu'une soif effroyable[6], due sans doute à ce jeu fébrile et à ces perpétuelles réflexions. Je vidais ma bouteille d'un trait et suppliais le gardien de me rapporter de l'eau, mais l'instant d'après, ma bouche était déjà sèche. Pour finir, mon excitation atteignit un degré tel en jouant – je ne faisais absolument rien d'autre du matin au soir – que je ne pouvais plus rester assis une minute, arpentant[7] ma chambre sans arrêt en réfléchissant à mes parties, toujours plus vite, d'un pas toujours plus pressé, de plus en plus excité à mesure que la fin de la partie approchait. La passion de gagner, de vaincre, de me vaincre moi-même devenait peu à peu une sorte de fureur ; je tremblais d'impatience, car l'un des deux adversaires que j'abritais était toujours trop lent au gré de l'autre. Ils se harcelaient, et si ridicule que cela vous paraisse peut-être, je me houspillais[8] moi-même – "plus vite, plus vite, allons, allons !" – quand la riposte n'était pas assez prompte[9]. Je sais aujourd'hui, bien entendu, que cet état d'esprit était déjà tout à fait pathologique[10]. Je ne lui trouve pas d'autre nom que celui d'"intoxication par le jeu d'échecs", qui n'est pas encore dans le vocabulaire médical. Cette monomanie[11] finit par m'empoisonner le corps autant que l'esprit. Je maigris, mon sommeil devint agité, intermittent[12]. Au réveil, mes paupières étaient de plomb, je les ouvrais à grand'peine. J'étais

5. Fiévreuse, excessive.
6. Terrible.
7. Parcourant.
8. Grondais.
9. Rapide.
10. Maladif.
11. Passion unique et maladive.
12. Irrégulier.

devenu si faible, mes mains tremblaient tellement que je
ne portais un verre à mes lèvres qu'au prix d'un gros
840 effort. Mais sitôt une partie commencée, j'étais galva-
nisé[1] par une force sauvage. J'allais et venais, les poings
fermés, et j'entendais souvent, comme à travers un
brouillard rougeâtre, ma propre voix me crier sur un ton
rauque et méchant : "Échec !" ou "Mat !".

» Je ne puis moi-même vous dire comment dans cet
état affreux, indescriptible, se produisit la crise. Je sais
seulement que je me réveillai un beau matin d'une
autre manière que d'habitude. Mon corps était comme
délivré de moi-même, il se prélassait, mollement étendu
850 dans un agréable confort. Une bonne grosse fatigue,
telle que je n'en avais pas connue depuis des mois,
appesantissait mes paupières, me donnant un si grand
sentiment de bien-être que je ne pus me décider à ouvrir
les yeux tout de suite. Pendant quelques minutes, je
demeurai ainsi, jouissant de ma torpeur[2], de la tiédeur
de mon lit, avec une voluptueuse langueur[3]. Tout à
coup, il me sembla entendre des voix derrière moi, des
voix humaines, chaudes et vivantes, qui prononçaient
des mots tranquilles et vous ne pouvez vous imaginer
860 mon ravissement, à moi qui n'avais, depuis presque un
an, rien entendu d'autre que les dures et méchantes
paroles de mes juges. "Tu rêves !" me dis-je. "Tu rêves !
Surtout n'ouvre pas les yeux ! prolonge ton rêve, plutôt
que de voir encore cette cellule maudite, la chaise, la
cuvette, la table et l'éternel dessin du papier au mur. Tu
rêves… continue à rêver."

» Mais la curiosité l'emporta. Lentement, prudem-
ment, j'ouvris les yeux. Ô merveille : je me trouvais dans

1. Animé.
2. Somnolence.
3. Douce paresse.

une autre chambre, une chambre plus spacieuse que ma cellule de l'hôtel. La lumière entrait librement par une fenêtre sans barreaux. Au-delà, je voyais des arbres, des arbres verts où courait le vent, au lieu de mon sinistre mur coupe-feu. Les parois de la chambre étaient blanches et brillantes, blanc aussi le plafond qui s'élevait au-dessus de moi – oui, vraiment, j'étais dans un autre lit, un lit que je ne connaissais pas. Ce n'était pas un rêve, des voix humaines parlaient doucement derrière moi. Ma découverte dut m'agiter violemment, tant j'étais stupéfait, car j'entendis des pas s'approcher aussitôt. Une femme venait vers moi, la démarche légère, une femme qui portait une coiffe blanche, une infirmière. Je frissonnai, ravi : je n'avais pas vu de femme depuis un an. Sans doute regardai-je cette gracieuse apparition avec des yeux extasiés et brûlants, car elle me dit avec force et douceur : "Restez tranquille ! Bien tranquille !" Je n'écoutais que le son de sa voix – n'était-ce pas celle d'une créature humaine ? Il y avait donc encore sur la terre des gens qui n'étaient pas des juges, des tortionnaires, il y avait, ô miracle ! cette femme à la voix moelleuse et chaude, presque tendre. Je fixais avidement la bouche qui venait de me parler avec bonté, car cette année infernale m'avait fait oublier que la bonté pût exister entre les hommes. Elle me sourit – oui, elle souriait, il y avait donc encore des gens qui souriaient en ce monde –, puis elle mit un doigt sur ses lèvres et s'éloigna sans bruit. Mais comment eussé-je pu lui obéir ? Je n'avais pas encore rassasié mes yeux de ce prodige. Je fis au contraire des efforts énergiques pour m'asseoir dans mon lit et pour la suivre des yeux, pour contempler encore cette créature miraculeuse et bienveillante. Je voulais m'aider de mes mains, je n'y parvins pas. Ce qui était la droite avait disparu tout entier jusqu'au poignet dans une sorte de gros paquet bizarre, blanc, un pansement apparemment. Je le considérai d'abord ahuri[1], puis je commençai lentement à comprendre où j'étais, et à réfléchir à ce qui pouvait bien m'être arrivé. On m'avait blessé, sans doute, ou bien je m'étais blessé moi-même à la main. Et je me trouvais dans un hôpital.

» L'après-midi, j'eus la visite du docteur ; c'était un aimable vieux monsieur. Mon nom ne lui était pas inconnu et il parla avec tant de respect de mon oncle, le médecin de l'empereur, que je sentis tout de suite qu'il me voulait du bien. Au cours de la conversation, il me posa toutes sortes de questions, dont l'une, entre autres, me surprit : il me demanda si j'étais mathématicien ou chimiste. Je lui dis que non.

» – Curieux, murmura-t-il. Vous prononciez de si étranges formules, dans votre délire... c3, c4. Personne de nous n'y comprenait rien.

» Je m'enquis[2] de ce qui m'était arrivé. Il sourit bizarrement.

» – Rien de grave. Une violente crise de nerfs. » Et il ajouta tout bas, après avoir jeté un regard circonspect[3] autour de lui : "Très compréhensible, d'ailleurs. Depuis le treize mars, n'est-ce pas ?"

» Je fis "oui" de la tête.

» – Pas étonnant, avec cette méthode, grommela-t-il. Vous n'êtes pas le premier. Mais ne vous inquiétez pas.

» À la manière apaisante dont il me glissait ces mots, et dont il me regardait, je sus que j'étais en bonnes mains.

1. Très étonné.
2. Demandai.
3. Prudent.

» Deux jours plus tard, l'excellent docteur me raconta franchement ce qui m'était arrivé. Le gardien m'avait entendu crier très fort dans ma cellule et il avait cru d'abord que quelqu'un s'y était introduit, avec qui je me querellais[4]. Mais à peine avait-il paru à la porte que je m'étais précipité sur lui en poussant des cris sauvages : "Allons, joue, gredin, poltron[5] !" J'avais essayé de le saisir à la gorge avec tant de violence qu'il avait dû appeler au secours. Tandis qu'on m'emmenait chez le médecin, j'avais réussi à me dégager et, pris d'une rage frénétique, je m'étais jeté contre la fenêtre du couloir, en brisant la vitre et me faisant une profonde blessure à la main – vous en voyez encore ici la cicatrice. J'avais passé les premières nuits à l'hôpital avec une sorte de fièvre cérébrale, mais j'avais maintenant recouvré[6] le complet usage de mes sens. "Bien entendu, je ne dirai pas à ces messieurs que vous allez mieux, ajouta-t-il doucement, ils seraient capables de vous y renvoyer. Remettez-vous-en à moi[7], je ferai de mon mieux pour vous tirer d'affaire."

» J'ignore quel rapport ce précieux ami put bien faire à mes bourreaux. Le fait est qu'il obtint ce qu'il voulait : ma libération. Peut-être me fit-il passer pour un irresponsable, peut-être aussi ma personne ne présentait-elle déjà plus aucun intérêt pour la Gestapo, car Hitler venait d'occuper la Bohême[8] et le cas de l'Autriche était liquidé à ses yeux. Je dus seulement m'engager par écrit à quitter ma patrie dans les quinze jours, et ces quinze jours furent si remplis par les mille formalités que doit accomplir aujourd'hui un ci-devant[9] citoyen du monde pour un voyage à l'étranger – papiers militaires,

940

950

960

4. Disputais.
5. Peureux.
6. Retrouvé.
7. Faites-moi confiance.
8. Région de la République tchèque.
9. Une personne ayant été auparavant.

papier de police, attestation fiscale, passeport, visa, certificat médical – qu'il ne me resta guère de temps pour songer au passé. Il semble d'ailleurs qu'il y ait dans notre cerveau de mystérieuses forces régulatrices qui écartent spontanément ce qui pourrait nuire à l'âme ou la menacer, car chaque fois que j'essayais de penser à mon temps de captivité, ma mémoire s'obscurcissait. Ce ne fut que de nombreuses semaines plus tard, lorsque je me trouvai sur ce paquebot, que j'eus enfin le courage de repasser ces événements dans mon esprit.

» Vous comprenez maintenant pourquoi je me suis comporté de façon si incongrue[1], et sans doute incompréhensible, envers vos amis. Je flânais par le plus grand des hasards dans le fumoir, quand je vis ces messieurs assis devant un échiquier ; l'étonnement et l'effroi me clouèrent sur place, malgré moi. Car j'avais complètement oublié qu'on peut jouer aux échecs devant un véritable échiquier, avec des pièces palpables, j'avais oublié que c'est un jeu où deux personnes tout à fait différentes s'installent en chair et en os l'une en face de l'autre. Et en vérité, il me fallut quelques minutes pour me rappeler que ces joueurs que je voyais là jouaient au même jeu que moi dans ma cellule pendant des mois, quand je m'acharnais désespérément contre moi-même. Les chiffres dont je m'étais accommodé, à cette époque d'exercices farouches[2], n'étaient donc que les symboles de ces pièces d'ivoire. La surprise que j'éprouvais à constater que le mouvement des pièces sur l'échiquier correspondait à celui de mes pions imaginaires ressemblait sans doute à celle de l'astronome qui a déterminé sur le papier l'existence d'une planète grâce à de savants

1. Contraire aux usages.
2. Obstinés.

calculs, et qui aperçoit soudain cette planète dans le ciel sous la forme d'une substantielle[3] et brillante étoile. Comme hypnotisé, je fixais l'échiquier où je contemplais mes diagrammes concrétisés par les figurines sculptées d'un cavalier, d'une tour, d'un roi, d'une reine et de pions véritables. Pour bien saisir les positions respectives des adversaires, je fus obligé de transposer le monde abstrait de mes chiffres dans celui des pièces qu'on maniait sous mes yeux. Peu à peu, la curiosité me vint d'assister à une partie réelle, disputée par deux adversaires. Oubliant alors toute politesse, j'intervins maladroitement dans votre jeu. Mais l'erreur qu'allait commettre votre ami m'atteignit comme un coup au cœur. D'un geste instinctif, sans réfléchir, je le retins comme on retient un enfant qui se penche par-dessus une balustrade. Plus tard seulement, je me rendis compte de la grossière inconvenance de mon intrusion. »

Je me hâtai de rassurer M. B... en lui disant que nous nous félicitions de ce hasard qui nous avait permis de faire sa connaissance, et j'ajoutai que pour ma part j'étais doublement impatient d'assister au tournoi improvisé du lendemain, après avoir écouté son récit. M. B... eut un mouvement inquiet.

« Non, vraiment, ne vous faites pas d'illusion. Il ne s'agira pour moi que de me mettre à l'épreuve... oui, je voudrais... je voudrais savoir si je suis capable de jouer une partie d'échecs ordinaire, sur un vrai échiquier, avec de vraies pièces, contre un adversaire réel... car il me reste toujours un doute à ce sujet. Ces cent, peut-être ces mille parties que j'ai jouées, étaient-elles réglementaires ? Ou n'était-ce qu'un jeu de rêve, comme

3. Réelle.

on en fait quand on a la fièvre, un de ces rêves fantastiques, où l'on saute souvent des échelons indispensables à la réalité ? Car vous ne prétendez pas sérieusement, j'espère, que je me mesure avec un champion du monde et que je le mette hors de combat. La seule chose qui m'intrigue et qui m'intéresse, c'est de savoir une fois pour toutes si je jouais vraiment aux échecs, dans ma cellule, ou si j'étais déjà fou. En un mot, si j'étais en deçà ou au-delà de la zone dangereuse. C'est le but unique de cette partie à mes yeux. »

Au même moment, de l'autre extrémité du navire, le gong nous appela à dîner. Notre entretien avait sans doute duré presque deux heures… j'ai beaucoup abrégé, ici, le récit circonstancié[1] que me fit M. B… Je le remerciai chaleureusement et pris congé. Mais je n'avais pas quitté le pont qu'il me courait après et ajoutait, avec tant de nervosité qu'il en bégayait :

« Encore un mot ! Je ne voudrais pas, ensuite, paraître impoli une seconde fois : voulez-vous bien prévenir ces messieurs que je ne jouerai qu'une seule partie ? Ce sera le point final à une vieille histoire, c'est tout… une conclusion définitive, pas un recommencement… Je ne désire pas être repris par cette passion fiévreuse, par cette rage de jouer à laquelle je ne pense qu'en tremblant… et d'ailleurs… d'ailleurs, le médecin alors m'avait averti… expressément averti. Un homme qui a été atteint d'une manie peut retomber malade, même s'il est complètement guéri… Il vaut mieux ne plus s'approcher d'un échiquier, quand on a été intoxiqué comme je le fus… Donc, vous comprenez – je jouerai cette unique partie pour être fixé là-dessus, et ce sera tout. »

1. Détaillé.

pause lecture 3

D'un récit à l'autre

1 M. B. accepte-t-il de jouer contre Czentovic ? VOIR **?** PAGE 50

2 Qui désignent « vous » (l. 56) et « je » (l. 58) ?

À la découverte de l'inconnu

3 Comment M. B. réagit-il à la demande des passagers ? Relevez les termes exacts par lesquels il se justifie. Pourquoi sont-ils importants ?

4 Relevez toutes les ressemblances qui existent entre M. B. et le narrateur (nationalité, milieu social, comportement). À quel personnage M. B. s'oppose-t-il sur tous ces points ? Justifiez votre réponse.

Un récit enchâssé

5 Où le récit enchâssé commence-t-il ? Où finit-il ? Par quel procédé passe-t-on d'un récit à l'autre ?

6 À quels moments M. B. interrompt-il son récit ? Quelles sont les deux étapes de son récit qui sont ainsi parfaitement marquées ?

7 Quel autre récit enchâssé le lecteur a-t-il déjà lu dans la nouvelle ? Qu'ont-ils en commun du point de vue du thème et de l'époque ?

Une retranscription fidèle

8 Le narrateur restitue les propos de M. B. au style direct. Quel est l'effet produit ?

« La charmante et grandiose époque où nous vivons » (l. 50-51)

1 Pour quelles raisons M. B. est-il arrêté et enfermé à l'hôtel *Metropole* ? VOIR **?** PAGE 51

2 En quoi le supplice infligé à M. B. consiste-t-il ?

L'ancrage historique

3 Relevez les références à des événements et à des personnages historiques. Quand les faits se déroulent-ils ?
Quelles sont les conséquences sur la nouvelle ?

La subtile barbarie de la Gestapo

4 Recherchez les indications chronologiques et reconstituez la durée de la détention de M. B.

5 Quels sont les lieux évoqués ? À quelle logique obéit leur succession ?

6 Relevez les termes qui expriment la privation et la négation (l. 220 à 258). Quel est l'effet produit sur le prisonnier ?

7 Pourquoi les interrogatoires contribuent-ils également à déstabiliser M. B. ?

8 Comment les agents de la Gestapo sont-ils désignés ?
Lequel se distingue des autres ? Pourquoi ?

▶ p. 49 à 82

Le manuel d'échecs

1 Quel événement se produit le 27 juillet 1938 ?

2 Pourquoi M. B. décide-t-il de jouer contre lui-même ? VOIR **?** PAGE 70

Un acte symbolique

3 Pourquoi le récit est-il ici particulièrement détaillé (l. 423 à 536) ?
Pourquoi le mot « *livre* » (l. 460) est-il en italique ?
Combien de fois apparaît-il dans ce passage ?

4 Que représente un livre pour M. B. ? Quel est son sentiment quand
il découvre le manuel d'échecs ? Pourquoi ?

Une libération

5 Quels avantages ce manuel présente-t-il pour M. B. ?
Repérez ses progrès et l'évolution de sa pratique des échecs.
Quelle est la conséquence sur les interrogatoires ?

Le basculement dans la folie

6 Pourquoi est-il dangereux pour M. B. d'inventer de nouvelles parties ?
Pourquoi le fait-il cependant ?

7 Quels sont les signes de sa folie (l. 775 à 844) ?
En quoi s'agit-il bien d'une « intoxication » (l. 832) ?

8 Quelles informations complémentaires le médecin apporte-t-il ?
Quelle question le lecteur se pose-t-il maintenant ?

Du texte à l'image

Observez le tableau → voir dossier images p. III

1 Comment s'exprime la souffrance du personnage ? De quelle nature est-elle ?

2 Ce portrait pourrait-il être celui de M. B. ? Pourquoi ? À quel moment de son incarcération ?

Gustave Courbet, *Le Désespéré (autoportrait)*, huile sur toile, 1841.

À vous de jouer

Rédigez un texte argumentatif

Après la guerre, le docteur de M. B. dénonce les méthodes de torture utilisées par les nazis. Partant de ses observations et notamment du cas de M. B., il dresse un réquisitoire argumenté contre des pratiques qu'il juge inhumaines. Rédigez son discours.

Écrivez un récit

Depuis qu'il joue les parties d'échecs du manuel dans sa cellule, M. B. a retrouvé toutes ses facultés intellectuelles. Le gardien vient le chercher pour le conduire à l'audience, puis il assiste à l'interrogatoire. Le soir, il raconte à son épouse… Imaginez son récit.

LE LENDEMAIN, À TROIS HEURES TRÈS PRÉCISES, nous étions comme prévu réunis au fumoir. Deux officiers du bord, amateurs de ce roi des jeux, s'étaient joints à nous, ayant obtenu une permission spéciale pour assister au tournoi. Czentovic ne se fit pas attendre comme la veille, cette fois, et après la répartition des couleurs une partie mémorable s'engagea, qui mettait aux prises mon très obscur compatriote avec l'illustre champion. Je regrette qu'elle se soit déroulée seulement devant d'aussi incompétents spectateurs que nous, et qu'elle soit perdue pour les annales[1] du jeu d'échecs, comme le sont pour l'histoire de la musique les improvisations de Beethoven[2] au piano. Nous essayâmes, il est vrai, de reconstituer tous ensemble la partie de mémoire, le lendemain après-midi, mais sans y réussir. Les joueurs nous avaient sans doute intéressés plus que le jeu, dont nous ne retrouvions plus les péripéties. En effet, le contraste intellectuel que formaient les deux partenaires s'exprima de plus en plus physiquement, dans leurs attitudes respectives au cours de la partie. Raide et immobile comme une souche[3], Czentovic, très bien rodé[4], ne quittait pas l'échiquier des yeux. Réfléchir était pour lui une sorte d'effort physique qui demandait une concentration extrême de tout son corps. M. B..., au contraire, restait parfaitement dégagé[5] et libre dans ses mouvements. Véritable dilettante au plus beau sens du mot, il ne voyait dans le jeu que le plaisir qu'il lui causait, nous donnait avec désinvolture[6] des explications entre les coups, allumait une cigarette d'une main légère et ne regardait l'échiquier qu'une minute avant que ce soit à lui de jouer. Il semblait toujours avoir prévu les intentions de l'adversaire.

10

20

30

1. Archives.
2. Célèbre compositeur allemand (1770-1827).
3. Racine d'arbre.
4. Habitué.
5. À l'aise.
6. Avec légèreté.

Au début, pour les ouvertures obligées, tout alla assez vite. Ce n'est qu'au septième ou huitième coup que la bataille parut se dessiner selon un plan précis. Czentovic réfléchissait plus longuement ; nous comprîmes à ce signe que la véritable lutte pour la suprématie[1] était engagée. Mais je dois à la vérité de dire que pour nous autres novices[2], l'évolution progressive de la situation, comme dans tout réel tournoi, était plutôt décevante. Car plus les pièces composaient sur l'échiquier leurs étranges arabesques[3], moins nous en pénétrions le sens caché. Nous ne saisissions ni les intentions des deux adversaires ni dans quel camp se trouvait l'avantage. Nous voyions seulement qu'ils déplaçaient leurs pièces tels des leviers[4], ou comme des généraux font marcher leurs troupes pour tâcher de faire une brèche dans les lignes ennemies. Mais nous ne pouvions comprendre les buts stratégiques de ces mouvements, car des joueurs aussi avertis[5] combinent leur affaire plusieurs coups d'avance. Et à notre ignorance s'ajoutait peu à peu une fatigue qui venait surtout des interminables minutes de réflexion nécessaires à Czentovic. Cette lenteur irritait visiblement notre ami. Je remarquai avec inquiétude qu'il s'agitait de plus en plus sur son siège, au fur et à mesure que la partie durait. Il allumait nerveusement cigarette sur cigarette, ou prenait une note d'une main rapide. Puis il se fit servir une bouteille d'eau minérale et avala précipitamment un verre après l'autre. Il était évident qu'il calculait ses coups cent fois plus vite que Czentovic. Quand ce dernier se décidait enfin, après des réflexions infinies, à pousser une pièce de sa lourde main, notre ami souriait simplement, de l'air de

40

50

60

1. Domination.
2. Débutants.
3. Mouvements, figures sinueuses.
4. Manettes de commande.
5. Expérimentés.

quelqu'un qui a prévu la manœuvre depuis longtemps, et il ripostait aussitôt. Son cerveau travaillait si vite qu'il avait sans doute déjà calculé toutes les possibilités de son adversaire. Aussi plus Czentovic tardait-il à se décider, plus l'impatience de l'autre augmentait-elle ; et pendant qu'il attendait ainsi, ses lèvres prenaient une expression de contrariété presque hostile. Mais Czentovic ne s'émouvait pas pour si peu. À mesure que les pièces se faisaient plus rares sur l'échiquier, ses réflexions s'allongeaient, mornes et muettes. Au quarante-deuxième coup, la partie avait duré deux bonnes heures trois quarts et nous ne la suivions plus que d'un regard hébété[6] de fatigue. Un des officiers du bord était parti, l'autre lisait un livre et ne jetait un coup d'œil sur l'échiquier qu'au moment où l'un des partenaires avait joué. Mais soudain – c'était au tour de Czentovic – se produisit quelque chose d'imprévu. Le champion avait le doigt sur le cavalier pour le faire avancer et M. B..., en le voyant, se ramassa sur lui-même comme un chat qui va sauter. Il se mit à trembler de tout son corps, poussa sa dame d'un geste sûr et s'écria, triomphant : « Ça y est ! c'est réglé ! » Il se rejeta en arrière, se croisa les bras sur la poitrine et jeta à Czentovic un regard de défi où fulgurait[7] soudain une lueur brûlante.

Nous nous penchâmes tous, sans le vouloir, vers l'échiquier pour comprendre cette manœuvre si victorieusement annoncée. Au premier abord, on ne voyait rien de menaçant. L'exclamation de notre ami devait donc se rapporter à un développement ultérieur de la situation que nous autres, dilettantes à courte vue, ne savions pas prévoir. Czentovic seul n'avait pas bronché[8]

6. Abruti.
7. Brillait.
8. Réagi.

à l'annonce provocatrice de son partenaire. Il était resté
aussi imperturbable que s'il n'avait pas entendu cet
offensant[1] « ça y est ! ». Il ne se passa rien. La montre
posée sur la table pour mesurer l'intervalle entre deux
coups faisait entendre son tic tac, dans le silence général. Trois minutes s'écoulèrent, puis sept, puis huit
– Czentovic ne bougeait toujours pas, mais il me sembla que l'effort qu'il s'imposait élargissait encore ses
narines épaisses. L'attente devenait intolérable, pour
notre ami M. B... comme pour nous. Il se leva d'un
bond et se mit à marcher dans le fumoir de long en
large, lentement d'abord, puis de plus en plus vite. Tout
le monde le regardait, un peu surpris, et moi j'étais
plein d'inquiétude, car je venais de m'apercevoir que
malgré son agacement, il arpentait toujours le même
espace ; on eût dit qu'une barrière invisible l'arrêtait
dans le vide au milieu de la pièce et l'obligeait à revenir
sur ses pas. Je compris en frissonnant qu'il refaisait sans
le vouloir le même nombre de pas que jadis, dans sa
cellule. Oui, c'était exactement ainsi qu'il devait s'être
promené, des mois durant, comme un fauve en cage ;
comme cela, mille fois de suite, il avait dû aller et venir,
les mains crispées et les épaules rentrées, tandis que
s'allumait dans son regard fixe et fiévreux, la rouge
lueur de la folie. En ce moment, il avait apparemment
encore toute sa présence d'esprit, car il se tournait de
temps en temps avec impatience du côté de la table,
pour voir si Czentovic s'était décidé. Mais neuf, dix
minutes s'écoulèrent encore. Ce qui se passa ensuite,
aucun de nous ne s'y attendait. Czentovic leva lentement sa lourde main. Chacun regarda anxieusement ce

1. Humiliant.

qu'il allait faire. Mais Czentovic ne joua pas : du revers de la main, il repoussa les pièces de l'échiquier. Nous ne comprîmes pas tout de suite qu'il abandonnait la partie, qu'il capitulait avant que tout le monde vît qu'il était battu. L'invraisemblable s'était produit. Un champion du monde, le vainqueur d'innombrables tournois, venait de baisser pavillon[2] devant un inconnu, devant un homme qui n'avait pas touché à un échiquier depuis vingt ou vingt-cinq ans. Notre ami, cet anonyme, avait battu le plus fort joueur du monde entier dans un tournoi public !

Sans nous en apercevoir, dans notre émotion, nous nous étions tous levés. Chacun de nous avait le sentiment de devoir faire ou dire quelque chose, pour donner libre cours à son joyeux effroi. Le seul qui ne bougea pas, très calme, fut Czentovic. Au bout d'un assez long moment, il leva la tête et regarda notre ami d'un œil de pierre.

« Encore une partie ? demanda-t-il.

– Mais certainement », répondit M. B..., avec un enthousiasme qui me fit une fâcheuse impression, et avant même que j'aie pu lui rappeler son intention de s'en tenir à une seule partie, il se rassit. Avec une hâte fiévreuse, il remit les pièces sur l'échiquier, et ses doigts tremblaient tellement, que par deux fois un pion s'en échappa et roula sur le plancher. Le malaise que me causait son excitation forcée[3] devint de l'angoisse. Indéniablement[4], cet homme calme et paisible s'était changé en exalté. Le tic faisait tressaillir toujours plus souvent le coin de sa bouche, et tout son corps tremblait, comme secoué par une fièvre subite.

130

140

150

? **A votre Avis**

Pourquoi Czentovic abandonne-t-il la partie ?

☐ Il a perdu.
☐ Il a un malaise.
☐ Il veut laisser gagner son adversaire.

2. D'abandonner.
3. Anormale.
4. Certainement.

« Cela suffit ! lui soufflai-je doucement, ne jouez pas maintenant ! C'est assez pour aujourd'hui, c'est trop éprouvant pour vous.

– Éprouvant ! ha, ha ! » il riait fort, d'un air méchant.

160 « J'aurais pu faire dix-sept parties, si nous ne traînassions pas tant ! Ce qui me fatigue, à ce rythme, c'est de rester éveillé. Allons, c'est à vous de commencer ! »

Ces derniers mots, prononcés sur un ton violent, presque grossier, il les avait adressés à Czentovic, qui jeta sur lui un regard calme et mesuré, mais dur comme un poing fermé. Entre les deux joueurs était née soudain une dangereuse tension, une haine passionnée. Ce n'étaient plus deux partenaires qui voulaient éprouver[1] leur force en s'amusant, c'étaient

170 deux ennemis qui avaient juré de s'anéantir réciproquement. Czentovic tarda longtemps avant de jouer son premier coup, et j'eus nettement le sentiment qu'il le faisait exprès. Il devait avoir compris que sa lenteur fatiguait et irritait l'autre, et il s'en servait, en tacticien bien entraîné. Au bout de quatre grandes minutes donc, il ouvrit le jeu de la manière la plus simple et la plus ordinaire, en faisant avancer de deux cases le pion qui couvre le roi. M. B... riposta aussitôt avec le même pion, puis Czentovic refit une pause démesurée,

180 à peine supportable. Nous attendions, le cœur battant, comme on attend le tonnerre après un éclair éblouissant, et que le tonnerre tarde, tarde encore. Czentovic ne bougeait pas. Lent, calme, il réfléchissait, et je me sentais de plus en plus certain que sa lenteur était voulue et méchante. Du moins me laissait-elle tout le loisir[2] d'observer M. B... Il avait déjà avalé trois verres

1. Mesurer.
2. Toute la liberté.

d'eau et je me rappelai malgré moi son récit, la soif ardente[3] qu'il avait eue pendant sa captivité. Le malheureux présentait tous les symptômes d'une excitation anormale, son front se mouillait, la cicatrice sur sa main devenait plus rouge et plus marquée. Jusque-là, il restait maître de lui. Pourtant lorsqu'au quatrième coup, Czentovic se replongea dans des méditations interminables, il perdit contenance[4] et l'apostropha brutalement :

« Eh bien, jouez donc, voyons ! »

Czentovic leva son œil froid. « Nous avons, si je ne me trompe, fixé à dix minutes le temps d'intervalle entre les coups. Par principe, je ne joue pas plus rapidement. »

M. B... se mordit les lèvres. Je remarquai que son pied, sous la table, se mit à se balancer vite, toujours plus vite. Il allait perdre la tête, j'en eus l'irrésistible pressentiment. Au huitième coup, de fait, se produisit un nouvel incident. M. B..., qui avait une peine croissante à supporter ces attentes, ne put se contenir davantage ; il se pencha en avant, en arrière, et se mit involontairement à tambouriner du doigt sur la table. Czentovic releva sa grosse tête de paysan.

« Puis-je vous prier de ne pas tambouriner ? Cela me dérange, je ne puis pas jouer ainsi. »

M. B... eut un rire bref. « Ha ! je m'en aperçois. »

Czentovic rougit. « Que voulez-vous dire ? » demanda-t-il, la voix dure et mauvaise.

M. B... rit encore, d'un rire sec et méchant. « Oh ! rien. Simplement que vous êtes très nerveux. »

Czentovic baissa la tête et se tut.

190

200

210

? **A votre Avis**

Pourquoi le narrateur est-il angoissé ?

☐ Il pense que Czentovic va s'énerver.

☐ Il sent que M. B. est en train de devenir fou.

☐ Il craint que M. B. ne perde la partie.

3. Intense.
4. Son sang-froid.

Il attendit sept minutes pour jouer le coup suivant, et la partie continua en se traînant à ce rythme mortel. Czentovic semblait de plus en plus pétrifié. Il mettait maintenant le maximum de temps prévu à prendre sa décision, et d'un coup à l'autre la conduite de notre ami devenait de plus en plus étrange. Il semblait avoir oublié la partie en cours, et s'occuper de tout autre chose. Il avait cessé d'aller et venir, et restait assis, immobile sur sa chaise. Regardant le vide d'un œil fixe et hagard[1], il marmottait[2] sans arrêt des mots incompréhensibles. Se perdait-il dans d'interminables combinaisons ou réfléchissait-il déjà à d'autres parties, comme je l'en soupçonnais quant à moi ? – en tout cas, chaque fois que son tour était enfin venu de jouer, il fallait que nous le rappelions à la réalité. Une minute lui suffisait pour s'orienter. Pourtant, j'étais de plus en plus persuadé qu'il nous avait tous oubliés, y compris Czentovic, et qu'il était en proie à une crise de démence[3] froide qui pouvait éclater tout à coup avec violence. Et la chose se produisit, effectivement, au dix-neuvième coup. À peine Czentovic avait-il joué que M. B… poussait son fou trois cases plus loin, sans même regarder l'échiquier, en criant si fort que nous sursautâmes :

« Échec ! Échec au roi ! »

Nous nous penchâmes tous sur l'échiquier, pour voir cette manœuvre sans pareille. Mais ce qui se passa au bout d'une minute, aucun de nous ne s'y attendait. Lentement, très lentement, Czentovic leva la tête et nous regarda l'un après l'autre – ce qu'il n'avait encore jamais fait. On vit naître sur ses lèvres un sourire moqueur et satisfait, il paraissait éprouver un plaisir

1. Égaré.
2. Bredouillait.
3. Folie.

sans borne[4]. Lorsqu'il eut pleinement joui[5] de ce triomphe encore incompréhensible pour nous, il dit à la ronde, avec une politesse affectée[6] :

250

« Je regrette, mais je ne vois pas comment mon roi pourrait être en échec. Un de ces messieurs le voit-il ? »

Nous examinâmes la situation, puis nos regards inquiets se tournèrent vers M. B... Le roi de Czentovic était entièrement couvert par un pion – un enfant eût pu s'en rendre compte –, il n'y avait donc pas d'échec au roi. Nous devînmes inquiets. Notre fougueux ami avait-il poussé sans le vouloir une pièce de travers, une case de trop, ou une en moins ? Le silence général le rendit à lui-même[7], il examina l'échiquier à son tour et se mit à dire, en bégayant violemment :

260

« Mais le roi doit être en f7... il n'est pas à sa place, pas du tout ! Vous vous êtes trompé ! Tout est faux sur cet échiquier... ce pion-là est en g5, pas en g4... c'est une tout autre partie... c'est... »

Il s'arrêta brusquement. Je l'avais empoigné par le bras, et même pincé si fort qu'il l'avait senti, malgré son égarement fiévreux. Il se retourna et me regarda avec des yeux de somnambule.

« Qu'y a-t-il ?... Que voulez-vous ?

– *Remember*[8] ! » lui murmurai-je seulement, et je passai le doigt sur la cicatrice qu'il portait à la main. Il suivit malgré lui mon geste, ses yeux se ternirent et se fixèrent sur la trace rouge. Puis tout à coup, il se mit à trembler, un frisson lui secoua tout le corps.

« Pour l'amour du ciel », chuchota-t-il, les lèvres blanches. « Ai-je dit ou fait quelque chose d'insensé... suis-je de nouveau... ?

270

? À votre Avis

Le narrateur intervient brutalement...

- ☐ pour avertir M. B. du danger ?
- ☐ pour permettre au jeu de continuer ?
- ☐ pour aider M. B. à gagner ?

---

4. Illimité.
5. Profité.
6. Étudiée.
7. Le ramena à la réalité.
8. *Souvenez-vous !* (en anglais).

– Non, fis-je doucement. Mais cessez immédiatement de jouer, il est grand temps. Souvenez-vous de ce que le médecin vous a dit ! »

M. B... se leva aussitôt. « Veuillez excuser ma sotte méprise[1] », dit-il en s'inclinant devant Czentovic avec toute son ancienne politesse. « Ce que je viens de dire est une absurdité, bien entendu. C'est vous qui l'avez emporté. » Puis il se tourna vers nous : « Je m'excuse aussi auprès de vous, messieurs. Mais je vous avais prévenus qu'il ne fallait pas trop attendre de moi.

Pardonnez cet incident ridicule – c'est la dernière fois de ma vie que je m'essaie aux échecs. »

Il s'inclina encore une fois et s'en fut, de la même manière mystérieuse et discrète qu'il nous était apparu la première fois. J'étais seul à savoir pourquoi cet homme ne toucherait plus jamais un échiquier, tandis que les autres demeuraient là, vaguement conscients d'avoir échappé à je ne sais quel désagrément ou même à un danger. « *Damned fool*[2] ! » grogna MacConnor, déçu. Czentovic fut le dernier à quitter son siège, et jeta

encore un coup d'œil sur la partie commencée.

« Dommage, dit-il, magnanime[3]. L'offensive n'allait pas si mal. Pour un dilettante, ce monsieur est en fait très remarquablement doué. »

---

1. Erreur.
2. *Pauvre idiot !* (en anglais).
3. Généreux.

pause lecture 4

Un duel sans merci

1 Combien de parties les champions disputent-ils ?

2 Quel événement incroyable se produit à la fin de la première partie ?
VOIR **?** PAGE 91

La rencontre des contraires

3 Quelles sont les motivations respectives de Czentovic et de M. B.
au début de la première partie ? Et ensuite ?

4 Au début du jeu, comment le contraste entre eux s'exprime-t-il ?

Un jeu dangereux

5 Pourquoi Czentovic propose-t-il une deuxième partie ? Est-ce habituel
de sa part ? Comment M. B. réagit-il ?

6 Comment évolue le comportement de M. B. ?
Quelles sont les grandes étapes de sa métamorphose ?
Quels signes alertent particulièrement le narrateur ? Pourquoi ?

Un impossible dénouement

7 Comment se termine la dernière partie ? Pourquoi ?

8 En quoi l'issue de la partie est-elle inhabituelle ?
Que montre ce dénouement ?

Un affrontement symbolique

1 Quelle tactique Czentovic choisit-il ?

2 Comment les sentiments du narrateur évoluent-ils ? VOIR **?** PAGE 93

La tragédie exemplaire de M. B.

3 Pourquoi M. B. ne peut-il supporter la lenteur de Czentovic ?
Qui jouait aussi sur l'attente pour faire céder M. B. ?

4 Montrez que l'évolution de M. B. lors de ces deux parties reproduit celle qu'il avait connue lors de sa détention.

5 Que représente dès lors le personnage de Czentovic ?
Quels autres aspects du récit permettent de l'assimiler à une puissance oppressive et destructrice ?

Un jeu guerrier

6 Quel est le champ lexical dominant dans la première partie d'échecs (l. 32 à 65) ? Cette partie est-elle un simple jeu ?
Que symbolisent les deux joueurs ?

7 Classez les personnages principaux en fonction de leur niveau de jeu et de leurs ressemblances. Quelles paires pouvez-vous former ?

8 En quelle année a lieu la traversée ?
De quoi ce qui se passe sur le bateau est-il l'image ?

▶ p. 87 à 96

Un plaidoyer en faveur de l'humanisme

1 Qui le narrateur désigne-t-il par l'expression « notre ami » (l. 53) ? Pourquoi ?

2 Quelle est l'attitude des autres spectateurs pendant les parties d'échecs ? Que finit par faire le narrateur ? VOIR **?** PAGE 95

Contre la barbarie

3 Que signifie *dilettante* pour Czentovic (l. 302) ? Et pour le narrateur ?

4 Comparez Czentovic et M. B. dans leur rapport à autrui, à l'esprit, à la culture. Quel modèle de relation s'imposerait dans un monde à l'image de Czentovic ?

5 Qui, dans la nouvelle, incarne les valeurs humanistes de sociabilité, de raison, de modération et de liberté ? Qui est finalement « le joueur d'échecs » digne de retenir notre attention ?

Vers le naufrage collectif ?

6 Quel est l'âge de Czentovic ? Et de M. B. ? Qui incarne l'avenir ? Pourquoi ? Quels éléments le montrent ?

7 En quoi la fin du récit traduit-elle un certain pessimisme ? Tout espoir de vaincre la barbarie est-il cependant interdit ?

Du texte à l'image

Observez le tableau → voir dossier images p. **IV**

Vieira da Silva,
La Partie d'échecs,
huile sur toile, 1943.

1 Qu'est-ce qui caractérise l'univers représenté ?

2 Quelle dimension du jeu d'échecs cette composition suggère-t-elle ? Quel lien pouvez-vous faire avec l'expérience tragique de M. B. ?

3 Dans quelle mesure ce tableau illustre-t-il également la relation de Czentovic au jeu d'échecs ?

À vous de jouer

Écrivez une lettre

Après son duel contre Czentovic, M. B. se réfugie dans sa cabine et décide d'écrire au médecin qui l'a soigné pour lui raconter les derniers événements. Imaginez sa lettre.

Organisez un débat

La passion du jeu est-elle une source de plaisir ou bien présente-t-elle un danger ?
Préparez des arguments pour défendre chacune des deux positions.

vers le brevet

Au brevet,
l'épreuve de français
est sur 40 points.
Première partie :
Questions : 15 points
Réécriture : 5 points
Seconde partie :
Rédaction : 15 points
Dictée : 5 points

▶ p. 35 à 37, l. 275 à 322

Questions (15 points)

I. Un narrateur impliqué (5 points)

1 Dans le premier paragraphe, quels sont les deux temps verbaux
les plus utilisés ? Quelle est la valeur de chacun de ces temps ?
(2 points)

2 Quelle est la valeur du présent de l'indicatif dans : « On est toujours
dépourvu de moyens devant des épidermes aussi épais » (l. 295-296) ?
Qu'indique son emploi ? (1 point)

3 **a.** « Cette machine à jouer aux échecs » (l. 292-293) : qui est désigné
ainsi ? Quelle est cette figure de style ? (1 point)
b. Commentez son emploi. (1 point)

II. Un champion peu aimable (5 points)

4 Comment l'adverbe « négligemment » (l. 285) est-il formé ?
Donnez un synonyme pour « suffisance » (l. 281)
et pour « désinvolte » (l. 287). (1 point)

5 Relisez les lignes 283 à 289 : quelles sont les deux comparaisons
contenues dans cette phrase ? Commentez-les. (2 points)

6 Que pense Czentovic de la façon de jouer de ses adversaires ? (1 point)

7 Quels sont les effets de l'attitude de Czentovic sur le narrateur ? et sur MacConnor ? (1 point)

III. La métamorphose de MacConnor (5 points)

8 Relevez les marques physiques de la transformation de MacConnor. (1 point)

9 **a.** Que traduisent-elles, selon le narrateur ? (1 point)
b. Relevez une comparaison justifiant votre analyse. (1 point)

10 **a.** À quel temps et à quel mode sont conjugués les verbes suivants : « serait », « tirerait » (l. 320) ? Justifiez cet emploi. (1 point)
b. Quelle image est donnée de MacConnor ? (1 point)

Réécriture (5 points)

a. « S'il avait un peu de délicatesse, me disais-je, il pourrait attirer notre attention sur les fautes que nous faisons, ou bien nous encourager d'un mot aimable » (l. 289 à 292). Réécrivez cette phrase au présent. (2,5 points)
b. « Je fus presque épouvanté de son ton provocant » (l. 301) : réécrivez cette phrase à la forme active. (2,5 points)

Rédaction (15 points)

MacConnor écrit à un ami pour lui raconter sa rencontre avec le champion du monde d'échecs et sa première partie contre lui. Vous tiendrez compte du caractère du personnage pour la rédaction de votre lettre.

après la lecture

- La nouvelle
  - Un message humaniste

La nouvelle

Les fondements d'un genre problématique

La nouvelle se définit par rapport au roman et au conte. On attribue sa paternité à l'Italien Boccace qui, au XIVe siècle, écrit le *Décaméron* : coincés ensemble par une épidémie de peste, dix jeunes gens se racontent des histoires pour passer le temps. Le récit est complexe : le narrateur qui raconte l'histoire de ses héros conduit le récit-cadre ; il donne aussi la parole à ses personnages qui deviennent tour à tour narrateurs et auditeurs de récits enchâssés.

Un récit court et resserré.

Les caractéristiques de la nouvelle sont posées : elle sera **un récit bref**, de tradition orale... comme le conte dont elle se différencie à la fin du XIXe siècle en privilégiant les registres réalistes et fantastiques. Par ailleurs, l'enchâssement des récits reste un procédé apprécié des auteurs de nou-velles : Zweig y recourt à deux reprises dans *Le Joueur d'échecs*.

Les principales caractéristiques du genre

Forme brève, la nouvelle obéit à une logique de la concentration. L'action est resserrée sur **une intrigue unique**, moment de crise dénoué par **une chute** inattendue.

Dans *Le Joueur d'échecs*, les deux récits enchâssés convergent tous les deux vers un moment décisif : la confrontation entre Czentovic et M. B. L'issue de la dernière partie d'échecs constitue bien la chute de la nouvelle.

Temps et lieu se soumettent à la même règle du resserrement. Cinq jours de traversée suffisent pour organiser la partie entre les champions. Au sein de l'espace fermé du bateau, les joueurs ne quittent guère le fumoir ;

la surface restreinte de l'échiquier finit même par concentrer, seule, l'attention du lecteur.

Les personnages sont peu nombreux. Quelques comparses gravitent autour des quatre protagonistes principaux : l'ami du narrateur, son épouse, les bourreaux de M. B., le gardien, le médecin... ; mais leur présence se limite à leur utilité narrative et ils disparaissent rapidement de l'histoire.

Une forme de réflexion

Zweig, écrivain de langue et de culture germaniques, est très influencé par l'écrivain **Goethe** (1749-1832) qui conçoit la nouvelle comme un art de la subjectivité : le récit doit porter sur un événement exceptionnel et vraisemblable lié à un personnage particulier. La qualité de l'événement se mesure à son impact sur l'existence de l'individu. L'écrivain exprime sa conception personnelle du monde, propose un point de vue qui donne matière à penser au lecteur : **la nouvelle doit susciter la réflexion** et avoir **une portée symbolique**. Enfin, pour frapper l'esprit et l'imagination du lecteur, il convient de privilégier les retournements de situations. Zweig est fidèle à ce modèle : le combat de M. B. frappe comme un coup de théâtre en faisant fléchir l'invincible Czentovic. La dimension symbolique du récit ne fait pas de doute, pas plus que le caractère tristement réaliste des situations historiques racontées : autour de l'échiquier, au-delà des champions, ce sont la culture et la barbarie qui s'affrontent. ■

Un art de la subjectivité.

Un message humaniste

De l'écran à la scène : les réécritures du *Joueur d'échecs*

Publication posthume, *Le Joueur d'échecs* était pourtant promis à une riche postérité.

Dès la fin des années 1950, le cinéaste américain Gerd Oswald s'intéresse à la nouvelle de Zweig ; son film sort sur les écrans en 1961. Le souvenir des mésaventures de son père, viennois et cinéaste comme lui, poursuivi par la censure nazie, finalement contraint à l'exil, explique son attachement à un texte qu'il renouvelle par le langage cinématographique, mais dont il prolonge le message. Il conçoit d'ailleurs son œuvre comme le lieu d'un triple hommage : à son père, à Zweig et à ceux qui se sont impliqués dans la résistance au nazisme.

Zweig nous livre un message universel.

Aujourd'hui, les révélations de M. B. et les colères de MacConnor résonnent sur les scènes françaises. Au cours des dernières saisons et en 2007 encore, à Paris (espace du Marais, Popul'art théâtre), en province (Villefranche-sur-Saône, Lyon...), *Le Joueur d'échecs* a tenu l'affiche avec succès. Ces transpositions prouvent les potentialités théâtrales du récit et son aptitude à la métamorphose : le message universel de Zweig n'en finit pas d'inspirer les créateurs.

Une pensée européenne

Notre auteur s'inscrit dans la lignée des grands humanistes (Érasme, Montaigne...) dont la pensée fonde la conscience européenne depuis l'aube des temps modernes. L'humanisme en effet désigne en premier lieu le mouvement qui unit, à la Renaissance, les intellectuels des pays européens engagés dans une réflexion optimiste sur l'homme et le développement de ses qualités. Pacifistes, influencés par les penseurs de l'Antiquité gréco-latine dont on redécouvre alors la sagesse, ils inventent un idéal nouveau, fondé sur les valeurs de culture, de tolérance et de raison. Le modèle que nous nous faisons de l'homme accompli, cultivé, sociable et courtois, notre attachement au respect de la vie et de la dignité humaine sont les héri-tages de l'humanisme où s'inscrit notre identité européenne.

On comprend dès lors le profond désarroi creusé par la montée du nazisme et le succès populaire de ses thèses, en plein cœur de l'Europe... Les œuvres de Zweig ou celles de Vercors (voir p. 109 à 122) révèlent le désespoir et l'incompréhension des intellectuels humanistes de l'époque. Après eux, après la guerre, certaines œuvres relaieront, plus violemment encore, l'interrogation sur l'homme. Rescapés d'Auschwitz et de Buchenwald, les écrivains Primo Levi *(Si c'est un homme)* et Robert Antelme *(L'Espèce humaine)* posent « l'inquié-tante question des camps d'extermination » (Primo Levi). Décrivant le processus de déshumanisation auquel étaient soumis les prisonniers, ils proclament à leur tour la nécessité de faire vivre les valeurs de la culture : mémoire, solidarité, respect d'un code moral, pour « rester, jusqu'au bout, des hommes » (Robert Antelme). ∎

« Rester, jusqu'au bout, des hommes. »

autre
la lecture

Vercors

L'Impuissance

juillet 1944

texte intégral

*Une autre nouvelle écrite pour dénoncer
le nazisme et défendre la fraternité...*

Qui est Vercors ?

(1902-1991)

Vercors

De son vrai nom Jean Bruller, Vercors est d'abord illustrateur et graveur. Pendant la Seconde Guerre mondiale, il s'engage dans la Résistance pour défendre la France occupée. En 1942, il participe à la création des Éditions de Minuit, maison d'édition clandestine qui publie son premier livre, *Le Silence de la mer*. Intellectuel engagé, Vercors a toujours défendu les valeurs humanistes. ∎

À la mémoire de Benjamin Crémieux[1]

ON EST PLUS OU MOINS SENSIBLE, n'est-ce pas, aux malheurs des autres. Mon ami Renaud le fut de tout temps à l'extrême. C'est pourquoi je l'aime, s'il[2] arrive souvent que je le comprends mal.

Je le connais depuis si longtemps qu'il m'est difficile d'imaginer une part de ma vie sans lui, – sans qu'il soit plus ou moins mêlé à elle. Pourtant je me rappelle quand je l'ai vu la première fois. Quand il est entré, long et mince, avec cet air qu'il avait, à la fois surpris et attentif, dans la classe du père Clopart. Il dit son nom, et je compris : « Rémoulade[3]. » Clopart dut l'entendre ainsi lui-même car il le lui fit répéter. J'entendis « Rémoulade » encore, et les premiers temps je lui donnai sincèrement ce nom. En fait, il s'appelait Houlade – Renaud Houlade. Il avalait un peu les syllabes.

On le fit asseoir à deux ou trois rangs derrière moi. Il vit donc très bien le camarade qui, devant lui, me saisit en manière de jeu par le col de ma veste et me secoua comme on fait d'un prunier. Et moi je laissai tomber, en guise de prunes, une volée de gouttes d'encre qui s'en furent souiller les cahiers de mes deux voisins. Il s'ensuivit un brouhaha dont je fus tenu pour responsable, et la minute d'après j'étais occupé, dans le couloir, à guetter les bruits de pas et à tenter de reconnaître si, parmi eux, ne s'entendraient pas ceux du directeur. J'avais le cœur tout bouillant de l'injustice qui m'était faite.

Alors la porte de la classe s'ouvrit de nouveau et je vis sortir Rémoulade. Il vint à moi en souriant. Un

10

20

1. Intellectuel français (1888-1944), engagé dans la Résistance. Arrêté en avril 1943, il meurt en déportation à Buchenwald.
2. Même s'il.
3. Mayonnaise piquante.

sourire un peu étrange : à la fois crispé et railleur[1],
– un mélange d'indignation et de triomphe. Il dit :

– Je me suis fait fiche à la porte.

– Toi aussi ? Exprès ?

– Oui, dit-il. Je ne pouvais pas tout de même, n'est-
ce pas, cafter le copain. Mais je pouvais encore moins
tolérer ce qu'on t'a fait. Alors voilà : je me suis fait
fiche à la porte.

J'ai oublié comment il s'y était pris. (Je crois qu'il
avait, tout simplement, sifflé un petit air.) Mais je n'ai
pas oublié que notre amitié date de ce jour – non
parce qu'il avait fait cela pour moi (il ne me connaissait pas), mais à cause du caractère que son acte laissait deviner. J'étais profondément conscient de la gra-
vité d'un tel geste commis dès son entrée à l'école, du
risque bravement[2] encouru d'être à jamais noté
comme une « mauvaise tête ». En vérité, il se montra
ce jour-là comme il fut toute sa vie : toujours prêt à
charger sur ses propres épaules le poids de n'importe
quelle injustice, – toujours prêt à payer lui-même
pour les péchés du monde.

On imagine ce que durent être pour lui ces quatre
ans[3] que la France a passés au fond des catacombes[4].
Ce n'est pas une fois, mais dix, qu'il m'a fallu l'empêcher de commettre quelque irrémédiable[5] sottise. Il
voulut arborer l'étoile jaune[6], se porter otage volon-
taire. Il finit par comprendre la vanité[7] de ces révoltes.
D'autres ont souffert, ont maigri de faim. Lui maigris-
sait, se consumait de rage rentrée. Inutile de vous dire
qu'il se lança dans la Résistance à corps perdu. C'est
un miracle qu'il soit encore en vie. Mais l'activité, les

1. Moqueur.
2. Courageusement.
3. Depuis juin 1940
et la défaite de l'armée
française.
4. Cimetières souterrains.
5. Irréparable.
6. Marque distinctive
imposée aux Juifs à partir
de 1942.
7. L'inutilité.

dangers courus n'éteignaient pas en lui ce feu d'imagination que chaque jour nourrissait d'une pâture[8] nouvelle.

J'avais pris l'habitude de l'aller voir quotidiennement dans son pavillon de Neuilly. Cela lui faisait du bien. Je lui servais d'exutoire[9] pour tout ce qui débordait de son cœur tourmenté. Je me suis fait, plus d'une fois, traiter de tous les noms. Ensuite il allait mieux.

Ce jour-là, j'étais porteur d'une lamentable nouvelle. Tout le long du chemin, j'avais hésité à la lui apprendre. Il y avait beaucoup de lâcheté dans mes hésitations, puisqu'il fallait bien que la chose lui fût dite un jour. Quand je franchis sa porte, je m'étais repris et décidé.

Si j'avais su... mais je ne savais pas. Il ne me dit rien quand j'arrivai : je n'appris le répugnant massacre du village d'Oradour[10] que plus tard. Il avait eu entre les mains, lui, le matin même, cet étrange compte rendu préfectoral, d'une simplicité sinistre, qui circula quelque temps puis disparut. Et qui ne fut suivi d'aucune protestation officielle. Je suppose – je suis sûr qu'il m'attendait pour éclater. Il était très, très pâle. Mais j'étais trop tourmenté moi-même par ce que j'avais à dire pour y prendre garde. Lui vit mon désarroi[11], et alors il attendit.

– J'ai eu des nouvelles de... (je toussotai)... des mauvaises nouvelles.

Il me fallut un temps pour rassembler mon courage. Enfin je pus avouer :

– ... De Bernard Meyer.

70

80

90

8. Nourriture.
9. Dérivatif, ce qui permet de se soulager.
10. En juin 1944, une division allemande traversa le Limousin, zone de résistance très active, et massacra toute la population du village d'Oradour-sur-Glane.
11. Trouble.

L'Impuissance 113

Il dit seulement : « Ah », comme on dirait : « Nous y voilà. » Il avait le visage prodigieusement fermé. Je ne m'attendais pas à ce qu'il montrât ce calme glacial. Je m'attendais à quelque agitation fébrile[1]. Non que Bernard Meyer fût, pour lui ni pour moi, ce qu'on appelle un ami. Mais tout le monde l'aimait. Tous ceux qui, de près ou de loin, avaient approché « la boîte[2] » ne pouvaient faire que l'aimer – sauf les médiocres et les envieux. Il avait, à tous et à chacun, rendu plus de services que quiconque sur terre. Avait-on fait (ceux qui l'auraient pu) tout le possible pour le tirer de Drancy[3] ? Nous savions bien, Renaud et moi, que non. Et nous savions bien pourquoi – et que ce n'était pas reluisant.

– Il est mort, dis-je, et le regard fixe et glacé de Renaud ne m'aidait guère pour parler. En Silésie, dans son camp, poursuivis-je avec une constance méritoire[4]. Et après un long intervalle j'ajoutai enfin les deux petits mots terribles, les deux mots dont nous savons désormais ce qu'ils résument de souffrances, de tortures et d'horreurs, les mots laconiques[5] que portait l'avis de décès : D'extrême faiblesse...

Renaud ne dit rien. Il me regardait toujours. Et je sus que l'image de Bernard Meyer flottait entre nous, celle à la fois du Bernard que nous avions connu – ce long visage blanc ; ces yeux tout ensemble vifs et rêveurs, cette barbe légendaire que tout ce qui écrit et pense dans le monde avait connue quelque jour, ce chaud accent plein de soleil... – et celle du misérable visage désespéré qu'il avait dû traîner dans la mort... « D'extrême faiblesse »... Je sentais ces deux mots, si

1. Fiévreuse.
2. Nom familier désignant probablement un réseau de résistants.
3. Camp d'emprisonnement avant les camps d'extermination.
4. Fermeté admirable.
5. Brefs.

horriblement suggestifs, pour quiconque sait le mar-
tyre de ces camps-là, faire leur chemin dans l'âme de
Renaud.

> *... a tale unfold, whose lightest word*
> *Would harrow up thy soul ; freeze thy young blood ;*
> *Make thy two eyes, like stards, start from their sphere.*[6]

Les longues minutes de lourd silence qui passèrent
alors, je ne les oublierai pas. Il faisait chaud, les
volets étaient fermés aux trois quarts pour sauver ce
qui se pouvait d'une fraîcheur mourante... Un insecte
– guêpe ou bourdon – se cognait sans cesse au
vasistas[7] avec l'entêtement absurde d'une fatale[8]
incompréhension... Renaud n'avait rien dit, pas un
mot. Rencogné[9] au fond du divan, il me regardait.
Me voyait-il ? C'était un regard de pierre. Tout en lui
était de marbre : ses lèvres serrées, son nez mince, son
front qui luisait doucement, éclairé par un reflet
vague – la lueur un peu verte d'un rayon passé au
travers des arbres...

Je ne sais trop comment je me retrouvai dehors. La
vérité est que j'avais fui : à peine si j'avais bredouillé
quelque chose concernant la nécessité d'apprendre la
nouvelle à d'autres. Je me sentais le vaincu d'un
étrange combat. Comme un qui s'est préparé, qui a
bandé ses forces en vue de résister à l'assaut furieux
d'un adversaire, et que celui-ci soudain embrasse en
pleurant.

Mais, tandis que je marchais lentement sous le
soleil, la vérité confusément commençait de m'appa-
raître : quelque élément m'était caché, c'est à quelque

130

140

150

6. « Une chaîne de visions,
dont la plus douce/
Lacérerait ton âme,
gèlerait ton jeune sang ;/
Ferait surgir tes yeux,
comme des astres hors
de leur sphère »
(*Hamlet*, Shakespeare).
7. À la petite fenêtre.
8. Mortelle.
9. Blotti.

place déjà blessée que j'avais dû frapper Renaud. Mon désarroi dès lors se mua en inquiétude. Je connaissais trop bien Renaud pour ne pas imaginer quelle rafale intérieure devait recouvrir ce silence farouche. Je pris peur un peu. Oh ! je ne pensais à rien de vraiment tragique – mais à quelqu'un de ces gestes inconsidérés et, surtout, imprévisibles.

160 Ma mémoire flottait d'un souvenir à l'autre… Quand il avait soudain quitté la Sorbonne, abandonnant son oral au bac, parce qu'on avait « collé » Mouriez… Les démarches que j'avais faites avec mon père par une journée aussi chaude que celle-ci, pour faire relever Renaud (artilleur à Rennes) d'un engagement à la Légion – parce qu'un juteux[1] sadique martyrisait un pauvre gars hébété… Et cet abandon (du jour au lendemain) d'une élégance discrète mais sévère pour un laisser-aller de chandails et de 170 savates[2] – parce qu'il avait acquis la preuve qu'un homme admiré, grand bourgeois d'une famille de notables, n'était qu'un Tartufe[3] sans scrupule…

Je revins sur mes pas. Oui, la dernière vision emportée de lui, immobile, pâle et obstinément muet sur son coin de divan, me sembla tout à coup le prodrome[4] d'un de ces coups impétueux[5] et baroques[6]. Je ne me trompais guère.

Je le trouvai dans son jardin. Il avait déjà accumulé branches et branchages, avec des débris de 180 caisses, des éclats de planches et de lambris[7], en vue de je ne sais quel bûcher. Et là-dessus commençaient de s'entasser les trésors durement rassemblés durant sa vie – qui étaient le sel[8] de sa vie : livres, objets,

1. Adjudant (grade militaire), en argot militaire.
2. Vieilles chaussures.
3. Personnage principal de la comédie de Molière (1669) : faux dévot, il incarne le type de l'hypocrite imposteur.
4. L'annonce.
5. Violents.
6. Déraisonnables.
7. Revêtements de mur.
8. L'intérêt majeur.

tableaux... Mon cœur sauta à la vue de ceux que je reconnus : le coin d'un volet de retable[9] qui n'était sans doute pas de Memling[10], mais assurément de l'école[11] de Bruges. Une petite marine[12] mouvementée de Jules Noël, romantique symphonie de gris et de bleus profonds. D'une autre toile, je ne voyais que le dos, mais j'en reconnaissais le cadre – celui d'un « nain » (par Picasso) dont il me semblait voir le visage mélancolique, plein de douceur. Une petite boîte de citronnier, toute simple, mais qui contenait, je le savais, quantité de dentelles vieilles et adorables. Et cette étrange ceinture qui avait dû ceindre[13] quelque courtisane à la taille de guêpe, seize menues plaques d'ivoire où un artiste charmant avait peint seize petites scènes des amours de Zeus... Tout cela nageait, avec maints objets moins vite reconnus, parmi les livres. Et je vis qu'il n'avait pas choisi. Qu'il avait déversé pêle-mêle les éditions les plus humbles et les plus rares. Des volumes écornés, à demi débrochés[14] à force d'avoir été lus, voisinaient avec les *Illuminations*[15] en originale[16], les contes anonymes de Nodier[17] dans un cocasse[18] cartonnage romantique, *La Princesse de Clèves*[19] en reliure d'époque. Je reconnus le Hugo qu'il tenait de son père, le Proust auquel manquait, comme un œil, l'amour de Swann[20], les Conrad et les Woolf de Tauchnitz[21], tous ces livres que j'avais si souvent feuilletés et empruntés. Dominant le tout, une petite main de bronze, la main longue, souple, mince et délicate d'un Bouddha du Népal, semblait muettement offrir sa protestation désespérée.Quand j'arrivai, Renaud vidait ses bras de toute

190

200

210

9. Tableau religieux.
10. Peintre flamand (1433-1494).
11. Ensemble de peintres comparables.
12. Peinture dont le sujet est la mer.
13. Entourer.
14. Dont la reliure est à demi cassée.
15. Recueil poétique de Rimbaud (1886).
16. Édition originale.
17. Écrivain français (1780-1844).
18. Amusant.
19. Roman de Mme de La Fayette (1678).
20. *Un amour de Swann*, roman de Marcel Proust (1871-1922).
21. Éditeur prestigieux.

une charge de Balzac. Je l'appelai d'un cri depuis le seuil.

Il se retourna. Ces yeux gris et luisants, brûlants et glacés, comme je les connaissais ! Il baissa le front, dans un mouvement de jeune taureau.

220 – Eh bien ? dit-il. Je voyais ses mâchoires remuer, et je le sentais tendu sur ses jambes, comme prêt à bondir. Je m'approchai.

– Écoute, Renaud... commençai-je en levant une main. Il bondit en effet, écarta les bras, me barra la route. Je voulus prendre son poignet, mais il se dégagea d'un geste brusque. « Renaud, suppliai-je, écoute-moi. À quelle folie encore... »

– Folie ? lança-t-il. Il enfonça ses mains dans ses poches et partit à rire. C'était un rire forcé, méca-
230 nique, violent et pitoyable. Folie, dis-tu ! Folie, vraiment !... Tu n'es pas fou, TOI. Oh ! non, pas du tout. Il me regardait comme s'il m'eût haï.

Je compris que si je ne parlais pas très vite il allait me prendre par les épaules, me pousser dehors.

– Renaud, Renaud, m'écriai-je, tu n'as pas ton sang-froid. Attends. Écoute-moi. Que vas-tu faire ? À quoi rime cet holocauste[1] ? Qui donc vas-tu punir ? Toi, une fois de plus, et quand...

Il m'interrompit et cria :
240 – Non ! Il secoua la tête. Moi ? Me punir moi ? D'une main il sembla balayer ces mots et tout à coup se pencha vers mon visage. Non, non... cria-t-il et il me lança dans la figure : Le mensonge ! Il répéta, il hurla du plus fort qu'il pouvait : Le men-son-ge !

Je crus qu'il m'accusait.

1. Ce sacrifice par le feu.

– Qui ? protestai-je. Quel mensonge ?

Prit-il garde à ma question ? Probablement pas tout de suite. Il continuait sur le même ton de colère furieuse :

– Le plus grand, le plus sinistre mensonge de ce monde sinistre ! Mensonge ! Mensonge ! Mensonge ! Lequel, dis-tu ? Tu ne sais pas, vraiment ? Oui, oui, je vois ce que c'est. Tu en es, toi aussi, tu en es comme j'en étais. Mais je n'en suis plus, c'est fini. Adieu, n-i-ni fini, j'ai compris ! cria-t-il dans un éclat de rage exaspérée et il se retourna vers le bûcher et fit un pas.

Je le rattrapai par la manche. Mais ce fut lui qui m'entraîna et en trois sauts nous fûmes auprès de l'amoncellement. Il y donna un coup de pied et je vis voler en l'air *La Chartreuse de Parme*[2]. Et tout à coup il agrippa mon épaule et m'obligeant à me pencher sur ces trésors accumulés :

– Mais regarde-les, cria-t-il, et salue-les donc, et bave-leur donc ton admiration et ta reconnaissance ! À cause de ce qu'ils te font penser de toi-même. Puisque te voici, grâce à eux, un homme si content de soi ! Si content d'être un homme ! Si content d'être une créature tellement précieuse et estimable ! Oh ! oui : remplie de sentiments poétiques et d'idées morales et d'aspirations mystiques[3] et tout ce qui s'ensuit. Nom de Dieu, et des types comme toi et moi nous lisons ça et nous nous délectons[4] et nous disons : « Nous sommes des individus tout à fait sensibles et intelligents. » Et nous nous faisons mutuellement des courbettes et nous admirons réciproquement chacun

2. Roman de Stendhal (1839).
3. Religieuses.
4. Réjouissons.

de nos jolis cheveux coupés en quatre et nous nous passons la rhubarbe et le séné[1]. Et tout ça qu'est-ce que c'est ? Rien qu'une chiennerie, une chiennerie à vomir ! Ce qu'il est, l'homme ? La plus salope des créatures ! La plus vile[2] et la plus sournoise[3] et la plus cruelle ! Le tigre, le crocodile ? Mais ce sont des anges à côté de nous ! Et ils ne jouent pas de plus au petit saint[4], au grave penseur, au philosophe, au poète ! Et tu voudrais que je garde tout ça sur mes rayons ? Pour quoi faire ? Pour, le soir, converser[5] élégamment avec Monsieur Stendhal, comme jadis, avec Monsieur Baudelaire, avec Messieurs Gide et Valéry[6], pendant qu'on rôtit tout vifs des femmes et des gosses dans une église ? Pendant qu'on massacre et qu'on assassine sur toute la surface de la terre ? Pendant qu'on décapite des femmes à la hache ? Pendant qu'on entasse les gens dans des chambres délibérément[7] construites pour les asphyxier ? Pendant qu'un peu partout des pendus se balancent aux arbres, aux sons de la radio qui donne peut-être bien du Mozart ? Pendant qu'on brûle les pieds et les mains des gens pour leur faire livrer les copains ? Pendant qu'on fait mourir à la peine, qu'on tue sous les coups, qu'on fait crever de labeur, de faim et de froid mon doux, mon bon, mon délicieux Bernard Meyer ? Et que nous sommes entourés de gens (des gens très bien, n'est-ce pas, cultivés et tout) dont pas un ne risquerait un doigt pour empêcher ces actes horribles, qu'ils veulent lâchement ignorer, ou dont ils se fichent, que quelques-uns même approuvent et dont ils se réjouissent ? Et tu demandes « quelle folie encore... ? » Nom de

1. Nous sommes d'accord (expression).
2. Odieuse.
3. Hypocrite.
4. Ils ne font pas semblant d'être parfaits.
5. Discuter.
6. Écrivains français célèbres du début du xxᵉ siècle.
7. Volontairement.

Dieu, qui de nous est fou ? Dis, dis, où est la folie ? Oseras-tu prétendre que tout ce fatras[8] que voilà est mieux qu'une tartuferie[9], tant que l'homme est ce qu'il est ? Un sale soporifique[10], propre à nous endormir dans une satisfaction béate[11] ? Saloperies ! s'écria-t-il d'une voix si aiguë qu'elle s'enroua de colère. Je n'en lirai plus une ligne ! Plus une, jusqu'à ce que l'homme ait changé, mais d'ici là, plus une ligne, tu m'entends ? Plus une, plus une, plus une !

Il m'avait lâché. Ces derniers mots il les cria en tapant du pied, comme un enfant coléreux que le chagrin met hors de lui. Il saisit la branche d'un arbuste et l'arracha. Il donnait des coups à droite et à gauche, sur n'importe quoi, en répétant « plus une, plus une ! », mais tout à coup sa voix se brisa dans un étrange gargouillis, et enfin les larmes s'échappèrent, et tout son corps, abandonnant soudain sa violence, sembla se tasser sur lui-même ; et moi, le prenant à mon tour par le bras, je pus à pas lents le conduire jusqu'à son divan, et il s'y laissa tomber, et il enfouit sa tête dans un coussin et s'abandonna tout à fait aux sanglots.

Il pleurait vraiment comme un enfant désespéré. Je crois bien que je pleurais aussi, silencieusement, en le regardant. Je m'étais assis près de lui, et je tenais une de ses mains dans les miennes, et il s'y accrochait – il s'y retenait et s'y pendait, tout à fait, vraiment, comme un enfant. Ce désespoir dura longtemps – il me parut prodigieusement long. Mais, pour finir, comme un enfant les larmes peu à peu eurent raison de lui, comme un enfant il s'assoupit dans la pénombre[12] de

310

320

330

8. Tas.
9. Tromperie, hypocrisie.
10. Somnifère.
11. Bienheureuse.
12. L'obscurité.

plus en plus épaisse de ce long jour finissant, tandis
340 que le secouaient encore, d'instant en instant, de
petits soupirs convulsifs[1].

Alors, je montai à l'étage chercher la vieille
Berthe, afin qu'elle m'aidât. La nuit était tombée.
Berthe ne demanda rien. Elle se contenta d'un regard
sur Renaud, endormi et pitoyable, et secoua un peu la
tête. Et c'est silencieusement que nous remîmes toutes
choses à leur place.

Mais depuis j'ai perdu moi aussi la joie de la lecture.
Pensé-je comme Renaud ? Non pas, tout au contraire !
350 L'art seul m'empêche de désespérer. L'art donne tort à
Renaud. Nous le voyons bien que l'homme est déci-
dément une assez sale bête. Heureusement l'art, la
pensée désintéressée[2] le rachètent.

Et pourtant, depuis ce jour, j'ai perdu la joie de
lire. Mais c'est à cause de moi : c'est moi qui ai mauvaise conscience. Devant mes tableaux, devant mes
livres, je détourne un peu les yeux. Comme un filou,
pas encore endurci, qui ne peut jouir avec un cœur
tranquille de ses trésors dérobés[3].

© Éditions Albin Michel, 1944.

1. Nerveux.
2. Altruiste, généreuse.
3. Volés.

▶ D'autres nouvelles de Zweig

• *La Peur,* 1920

Irène sort de l'appartement de son amant. Une femme l'interpelle
rudement et la précipite dans l'enfer de la peur. Comment sauvegarder
l'équilibre familial ? Comment survivre, tout simplement ?...

• *Vingt-quatre heures de la vie d'une femme,* 1927

Scandale : Mme Henriette abandonne son mari, ses enfants,
sa vie d'honorable bourgeoise pour suivre un jeune Français
qu'elle connaît à peine. Comment la vie d'une femme peut-elle
basculer en vingt-quatre heures ?

▶ Des récits sur le jeu d'échecs

• **A. Cheng**, *Les Trois Rois*, « Le Roi des échecs », 1988, éditions Alinéa

En Chine, pendant la Révolution culturelle, Wang Yisheng est envoyé
comme de nombreux étudiants en « rééducation » à la campagne.
Depuis l'enfance, il a les échecs dans le sang.
Comment ce jeu pourra-t-il l'aider à conserver sa dignité ?

• **Patrick Süskind**, *Un combat,* 1996, Fayard

Le Jardin du Luxembourg a ses habitués des échecs. Tout le monde
connaît Jean, le champion local... Mais qui est le nouveau venu ?
Ce jeune homme ténébreux menace-t-il vraiment sa suprématie ?

• **Bettina Henrichs**, *La Joueuse d'échecs,* 2005, Liana Lévi

Sur l'île grecque de Naxos, les traditions sont sacrées. Elles déterminent
le destin d'Élénie, épouse soumise et employée docile... jusqu'au jour
où elle découvre un jeu d'échecs.

▶ Un récit sur la Seconde Guerre mondiale

· **Vercors**, *Le Silence de la mer,* 1942

> Un vieil homme et sa nièce, contraints de loger un officier allemand, décident de lui opposer un silence intraitable. Mais le jeune Werner n'a rien d'une brute nazie, il est au contraire cultivé et respectueux de ses hôtes... Quels bouleversements naîtront de cette insolite cohabitation ?

à voir

· *Les Joueurs d'échecs,* **Satyajit Ray,** 1977

> Nous sommes en 1856, au royaume d'Oudh menacé par les visées colonisatrices de l'armée britannique. Deux aristocrates s'absorbent dans leurs parties d'échecs et se retranchent du monde... Détachement lucide ou négligence ?

· *La Diagonale du fou,* **Richard Dembo,** 1983

> Deux joueurs soviétiques concourent pour le titre de champion mondial des échecs. Quels enjeux politiques et philosophiques leur affrontement recouvre-t-il ?

· *La Défense Loujine,* **Marleen Gorris,** 2001

> Une adaptation du roman de Nabokov : Natalia, aristocrate russe émigrée, tombe amoureuse d'Alexandre Loujine, lors d'un tournoi d'échecs en Italie en 1929. Mais celui-ci est excentrique, imprévisible et incapable de se lier avec les femmes...

TABLE DES ILLUSTRATIONS

Conception graphique : Laurence Durandau/Laurence Ningre/ Marie-Astrid Bailly-Maître
Design de couverture : concept et illustration Hartland Villa
Recherche iconographique : Laetitia Jannin
Illustrations : Buster Bone (p. 10)/Élise Rebaa-Launey (p. 124-125)
Mise en page : CGI
Correction : Sylvie Porté
Édition : Marion Noesser
Direction éditoriale : Marie-Hélène Tournadre

N°d'éditeur : 10145621 - Dépôt légal : juillet 2008 - Imprimé en France par I.M.E. - 25110 Baume-les-Dames